D0488215

Sous l'emprise d'un milliardaire

SHARON KENDRICK

Sous l'emprise d'un milliardaire

Traduction française de
JEAN-BAPTISTE ANDRE

Azur

HARLEQUIN

Collection : Azur

Titre original :
CLAIMED FOR MAKAROV'S BABY

HARPERCOLLINS FRANCE
83-85, boulevard Vincent-Auriol, 75646 PARIS CEDEX 13
Service Lectrices — Tél. : 01 45 82 47 47

www.harlequin.fr

ISBN 978-2-2803-4500-2 — ISSN 0993-4448

1.

Ce n'est qu'un mauvais moment à passer, se répéta Erin, raide comme la justice dans sa robe de mariée. *Quelques mots à prononcer, une signature en bas d'une page. Après quoi...*

Elle déglutit en sentant le tissu bon marché effleurer ses chevilles nues. Après la cérémonie, elle n'aurait plus à redouter l'avenir. C'était bien le but de cette mascarade, non ? Elle serait enfin en sécurité.

Elle resserra ses mains moites sur le bouquet que Chico lui avait fait acheter — « pour faire plus vrai », avait-il dit — et se demanda si son sourire forcé ajoutait à l'authenticité de la scène. Elle en doutait. Elle avisa son reflet dans un miroir, tandis qu'elle avançait vers l'employée de mairie qui officiait, et constata qu'elle était pâle comme un linge. L'homme qui se tenait à ses côtés, un ami cher, l'était tout autant.

Erin prit une profonde inspiration et fit de son mieux pour avoir l'air amoureuse. C'était peut-être le plus difficile, car elle ne croyait pas en l'amour. Elle y avait goûté autrefois, une expérience qui n'avait fait que renforcer ce qu'elle savait déjà : qu'il s'agissait d'un leurre, d'une émotion pour imbéciles. C'était exactement ce qu'elle avait été en jetant son dévolu, à l'époque, sur un homme si peu digne d'être aimé.

Leurs deux témoins attendaient patiemment sur leur

chaise et l'officier municipal souriait, mais Erin aurait juré lire de la méfiance dans les yeux intelligents de la femme. Avait-elle deviné ? Soupçonnait-elle qu'Erin Turner était sur le point d'enfreindre la loi pour la première fois de sa vie ?

Chico referma sa main sur son poignet, comme s'il avait senti son angoisse, et y exerça une pression rassurante tandis que l'officier entamait la cérémonie.

— Nous sommes ici pour assister au mariage de Chico et d'Erin…

Elle marqua une pause au cours de laquelle Erin entendit la porte de la salle s'ouvrir dans son dos, puis un bruit de pas. Mais son cœur battait bien trop fort pour qu'elle se demande qui venait d'entrer. Ses mains tremblaient tellement qu'elle crut un instant qu'elle allait lâcher son bouquet. L'officier reprit sa litanie et Erin se prépara à la question qu'elle avait attendue et redoutée.

— Si quelqu'un a une raison de s'opposer à ce mariage, qu'il parle maintenant ou se taise à jamais.

L'officier s'interrompit une fraction de seconde avant de continuer — il était évident qu'il s'agissait d'une formule de pure forme. Mais une voix fracassa soudain le silence.

— *Da*. Oui, je m'y oppose.

Erin se figea, puis pivota vivement en entendant cet accent russe reconnaissable entre mille. Son cerveau refusait de croire à ce que ses sens lui disaient. C'était impossible. Il devait s'agir d'une erreur, une erreur qui ne pouvait pas plus mal tomber…

Elle fut transpercée par un regard bleu banquise, si intense, si glacial qu'elle crut qu'elle allait s'effondrer. Non, ce n'était pas une erreur. L'homme était bien réel, autant que le bouquet qu'elle tenait entre ses mains moites, autant que les battements affolés de son cœur. Dimitri

Makarov envahissait l'espace par ce mélange unique d'autorité et de sensualité brute qui le caractérisait.

Erin le fixa d'un air ahuri, écrasant sans en avoir conscience les tiges de son bouquet. Le nouveau venu portait un costume anthracite qui soulignait son imposante carrure. La lumière du lustre donnait à ses cheveux la couleur de l'or en fusion. Tout en lui évoquait l'aisance, le prestige.

Mais il avait changé. Son regard était d'une clarté qu'elle ne lui connaissait pas et il ne portait plus cette barbe de trois jours qui lui donnait des airs de mauvais garçon. Ses joues étaient glabres, sa mâchoire taillée à la serpe. Ses yeux la clouaient sur place, lourds d'une condamnation silencieuse.

— Dimitri…, articula-t-elle enfin.

— *Da*. En personne, répondit-il d'un ton narquois. Tu es contente de me voir, Erin ?

Il sait.

Il sait tout.

Elle se raisonna. Comment pouvait-il être au courant ? Elle ne l'avait pas vu depuis six ans, depuis qu'il lui avait fait comprendre le peu d'importance qu'il lui accordait. Il l'avait traitée avec mépris et lui avait rappelé sa place dans sa vie — une simple employée dont il pouvait se débarrasser à sa guise. Et c'était exactement ce qu'il avait fait, n'est-ce pas ?

Elle songea à Leo, aux raisons de ce mariage, et se força à sourire. Elle savait que si elle manifestait la moindre faiblesse, Dimitri ne ferait qu'une bouchée d'elle.

— Ton moment est mal choisi, fit-elle valoir.

— Au contraire. Il est très bien choisi.

— Je suis sur le point d'épouser Chico, Dimitri.

— Ça m'étonnerait fort.

Dimitri jeta un regard de biais à Chico, qui assistait à la scène d'un air effaré, la bouche arrondie en un « O » de stupeur.

— Il y a un problème ? demanda l'officier municipal.

Elle avait parlé d'un ton aimable mais Erin la vit jeter un regard nerveux vers le téléphone, comme pour s'assurer qu'elle disposait d'une connexion avec l'extérieur.

— Un problème de nature sentimentale, répondit Dimitri en s'avançant.

Erin se raidit à son approche, notant presque machinalement l'ironie de ses propos. Un problème sentimental, lui ? C'était risible. Un requin était plus sentimental que Dimitri Makarov.

— Mademoiselle Turner ? demanda l'officier, tournant vers elle un regard interrogateur.

Il était évident qu'elle avait hâte de reprendre le cours de la cérémonie. Mais le spectacle était loin d'être terminé. Dimitri venait de rejoindre Erin et son ombre l'enveloppa tel un nuage d'orage. Elle voulut le repousser, l'éloigner, mais une torpeur paralysante s'était emparée d'elle. Elle ne bougea pas d'un pouce lorsqu'il l'attira tout contre lui. Ses doigts, dans son dos, la brûlaient à travers le tissu de sa robe aussi sûrement que s'il touchait sa peau nue. Avec un soupir tremblant, elle leva les yeux vers lui. Il la dévisagea un court instant, puis l'embrassa.

Son mépris n'échappa pas à Erin. C'était un baiser possessif, un simple sceau dont il la marquait, un geste dénué de romantisme ou de sensualité. Mais elle sentit ses lèvres s'ouvrir d'elles-mêmes sous la pression des siennes. Il l'emportait telle une lame de fond et lui faisait désirer des choses qu'elle savait inaccessibles. Comme autrefois, elle était incapable de lui résister.

Il plaqua son bassin contre elle et Erin gémit en sentant son érection contre son ventre. Bien que choquée par son audace, elle ne put s'empêcher d'imaginer son sexe puissant qui glissait en elle. Ses seins se dressèrent sous sa robe et son souffle, mêlé à celui de Dimitri, se fit haletant. Sa langue lui promettait mille délices. Pourquoi diable cet homme-là, et lui seul, avait-il un tel effet sur elle ? se demanda-t-elle confusément.

Chico allait-il réagir ? Elle soupçonnait que non. C'était un homme doux, qui n'allait pas s'opposer à Dimitri alors qu'ils s'apprêtaient à commettre un délit. Ce mariage n'était qu'une couverture pour lui permettre d'obtenir un permis de séjour, un point sur lequel il n'avait sans doute pas envie d'attirer l'attention.

Son bouquet échappa à ses doigts gourds et heurta le sol avec un bruit mat. Erin se demanda un instant si elle n'allait pas faire de même lorsque Dimitri mit fin à leur baiser. Son regard lui envoya un avertissement qu'elle décoda aussitôt — elle avait travaillé pour lui pendant des années et avait appris à déchiffrer la moindre de ses expressions. *Laisse-moi faire, je m'occupe de tout.*

Quelque chose en elle se rebella. Dimitri était un homme qui prenait et ne donnait jamais rien en retour, se rappela-t-elle. Mais c'était fini. Elle ne le laisserait plus lui prendre quoi que ce soit. Elle l'avait exclu de sa vie pour d'excellentes raisons, et ces raisons étaient encore valables aujourd'hui.

— Mais qu'est-ce qui te prend ? Tu es devenu fou ? A quoi joues-tu ?

— Tu sais très bien que je ne joue pas, Erin.

— Tu ne peux pas faire ça, répliqua-t-elle en redressant le menton.

Les yeux pâles de son compagnon la balayèrent tandis qu'un sourire étirait le coin de ses lèvres.

— Vraiment ?

— Quelqu'un pourrait-il m'expliquer ce qui se passe ? intervint l'officier municipal, qui peinait à cacher son irritation. Nous avons d'autres couples à marier après vous et cette interruption…

— Il n'y aura pas de mariage, coupa doucement Dimitri. N'est-ce pas, Erin ?

Tous se tournèrent vers elle — Chico, les deux témoins, l'officier municipal. Mais elle ne voyait qu'un visage, celui de Dimitri. Face au défi qui brûlait dans ses yeux, elle sentit ses certitudes s'effondrer une à une.

Erin ouvrit la bouche pour répondre, puis la referma aussitôt. Chico fronçait les sourcils, sans doute conscient du fait qu'il n'était pas de taille à affronter le Russe. Pauvre Chico…

Mais la seule personne qui importait, en cet instant, c'était Leo. Car il était en danger. Si Erin était traînée en justice pour un mariage blanc, et envoyée en prison, qu'adviendrait-il de son fils ?

Elle serra les poings, résolue à le protéger à n'importe quel prix. N'était-ce pas précisément pour assurer son avenir qu'elle avait accepté d'épouser Chico ?

Puisque rien dans son vocabulaire ne semblait adapté à une situation si gênante, elle adressa à l'officier municipal son sourire le plus contrit.

— Il semble que nous devions repousser le mariage. Dimitri est…

— Le seul homme qu'elle ait jamais désiré, comme ce baiser vient de le prouver, coupa le Russe avec arrogance. N'est-ce pas, Erin ?

Il souriait lui aussi, mais la rage qui brûlait dans son regard ne s'était pas atténuée. Une douleur soudaine tordit le cœur d'Erin. Oui, il savait. Il n'y avait pas d'autre explication à sa présence. Il avait dû découvrir l'existence de Leo, même si elle ignorait comment.

Son premier réflexe fut de fuir. Elle n'avait qu'à retrousser l'ourlet de sa robe et partir à toutes jambes. Le gris de cette journée d'automne l'avalerait et, avec un peu de chance, elle échapperait à Dimitri. Elle rendrait la robe au dépôt-vente où elle l'avait achetée, puis elle irait chercher Leo à l'école et lui expliquerait que maman ne partait pas en vacances comme prévu et qu'ils n'emménageraient pas dans une grande maison à la campagne.

Si elle s'enfuyait, elle savait qu'elle pourrait se débrouiller. D'accord, aucun de ses problèmes actuels ne serait résolu, mais elle les préférait mille fois au fait de devoir affronter Dimitri.

Elle comprit aussitôt qu'il s'agissait d'une idée stupide. Le Russe n'aurait aucun mal à la rattraper, pour commencer. Il la couvait d'un regard d'aigle, comme s'il s'attendait précisément à ce qu'elle essaie de lui fausser compagnie. Elle n'atteindrait même pas la porte.

— Je suis sûr que ce genre de choses arrive souvent, reprit-il d'un ton suave. La fiancée panique en dernière minute et s'aperçoit qu'elle a fait une terrible erreur.

L'officier municipal reposa son stylo avec lenteur avant de les fusiller du regard.

— Puis-je vous suggérer d'aller régler vos problèmes ailleurs ?

— Excellente idée. Auriez-vous une salle où nous pourrions discuter en privé ? demanda Dimitri d'une voix aimable qui dissimulait mal sa détermination.

Puis il se fendit d'un large sourire, et ce fut comme si le soleil venait d'apparaître entre les nuages.

— S'il vous plaît ?

L'expression réprobatrice de l'officier s'évanouit presque aussitôt. Erin faillit partir d'un rire narquois — le charme de Dimitri n'opérait donc pas que sur elle. Piètre consolation !

— Oui, je peux vous laisser l'usage d'une de nos salles, mais pas longtemps.

— Oh ! ce que j'ai à dire est très rapide, déclara le

Russe en plaçant une main dans le dos d'Erin. Je vous le promets.

— C'est bon. Suivez-moi.

La femme les entraîna vers un couloir tandis que les deux témoins, qu'ils avaient trouvés dans la rue, se dirigeaient en haussant les épaules vers la sortie, sans doute à la recherche du pub le plus proche. L'expression choquée de Chico, lorsque Erin le dépassa, ne fit qu'ajouter à son désarroi.

Ils entrèrent dans une petite salle de réunion dont l'officier ferma la porte derrière eux. Erin commençait à peine à retrouver son assurance, sérieusement ébranlée par l'apparition de Dimitri. *Rappelle-toi pourquoi tu fais tout ça. Tu as de très bonnes raisons d'agir ainsi.*

Elle fit quelques pas pour s'éloigner de son compagnon, puis tourna vers lui un regard accusateur.

— Je dois parler à Chico, dit-elle même si elle n'en était pas très sûre. Il faut que je lui explique ce qui se passe, Attends-moi ici.

Dimitri lui agrippa le poignet, vif comme l'éclair, ses doigts pareils à des serres contre son pouls affolé.

— Parle-lui si tu veux, Erin. Mais sois brève. Et n'oublie pas de revenir. Parce que, si tu essaies de t'enfuir, je te jure que je te retrouverai, où que tu sois. N'en doute pas une seconde.

Erin se dégagea d'un geste sec et alla trouver Chico, qui arpentait le couloir avec nervosité. Elle lui expliqua qu'il n'y aurait pas de mariage et sentit son cœur se serrer en voyant son visage s'affaisser. Lorsqu'elle regagna enfin la pièce aveugle où l'attendait Dimitri, sa détresse s'était muée en colère. Tremblante de rage, elle claqua la porte derrière elle.

— Tu n'avais pas le droit de faire ça ! Chico est dans tous ses états.

— C'est toi qui parles de droit ? Et tu n'as pas résisté

très longtemps, n'est-ce pas ? Si tu n'avais pas envie de me voir, pourquoi m'embrasser comme si ta vie en dépendait ?

— Espèce de salaud…

— C'est ce que je suis ?

— Oui, c'est ce que tu es. Et maintenant, je rentre chez moi ! Je ne veux pas passer une minute de plus en ta compagnie.

Dimitri se mit à rire, un son doux et menaçant à la fois qui emplit Erin d'effroi.

— Ne te fais pas d'illusion, répondit-il. Tu n'iras nulle part et tu le sais très bien, en tout cas pas tant que nous n'aurons pas eu une petite discussion. Assieds-toi.

D'une main ferme, il la guida vers la chaise la plus proche. Erin songea un instant à lui résister, à faire valoir qu'elle préférait rester debout, mais elle avait les jambes en guimauve et redoutait de s'effondrer. Elle prit place avec soulagement, un soulagement qui s'évanouit sitôt que le regard de Dimitri la percuta, glacial comme le vent des steppes de son pays. Elle avait presque oublié la violence de son tempérament, la façon dont il se servait des autres comme de pions sur son échiquier personnel. Quand elle était son assistante, il l'appréciait et la respectait trop pour lui faire subir ses caprices.

Autrefois…

Presque noyée dans la gaze de sa robe, elle leva vers lui un visage angoissé.

— Qu'est-ce que tu veux de moi ?

— Parle-moi de ton Brésilien. Est-ce que vous vous amusez bien au lit ?

Erin hésita, se demandant ce qu'il savait. Dimitri était perspicace et moins elle aurait à lui mentir, mieux ce serait.

— Chico… Chico n'est pas mon amant. Il est gay. Mais je suppose que tu l'as deviné.

Un sourire narquois tordit les lèvres du Russe.

— Alors comme ça, ce n'est pas le grand amour ?

— Non.

— Je suppose qu'il te paie généreusement pour ce mariage, parce qu'il a besoin d'un permis de séjour, par exemple ? Je me trompe ?

Erin ne répondit pas — tous deux savaient que sa question était de pure forme.

— Et un mariage blanc, c'est illégal, acheva Dimitri.

Se rappelant que l'attaque était la meilleure des défenses, Erin releva sur lui un regard furieux. *Ne lui montre pas que tu as peur*, songea-t-elle malgré les battements affolés de son cœur. *S'il sent la moindre faiblesse, c'en est fini de toi.*

— C'est pour ça que tu es venu ? Pour discuter de subtilités légales ?

L'expression de Dimitri changea d'un coup, et Erin comprit que sa voix allait être différente, elle aussi. Fini le sarcasme, finie l'ironie. Il était las de jouer avec sa proie et passait à l'offensive.

— Tu connais déjà la réponse à ta question, Erin. Tu la connais depuis la seconde où j'ai interrompu ce simulacre de mariage. Tu sais très bien pourquoi je suis là. Simplement, tu n'as pas le cran de le reconnaître.

Ses yeux, dans la pièce sans fenêtre faiblement éclairée par un plafonnier, scintillèrent comme deux éclats de glace lorsqu'il enchaîna :

— Mais peut-être espérais-tu pouvoir continuer à me cacher l'existence de mon fils ? C'était ton plan, c'est ça ?

2.

En voyant Erin pâlir, Dimitri ressentit une émotion qui ressemblait à de la satisfaction. Il la regarda renverser la tête contre le mur, comme si son cou gracile ne pouvait en supporter le poids. Elle le dévisageait avec méfiance, ses yeux verts mi-clos. Il ne savait pas ce qui le faisait souffrir le plus. Non, corrigea-t-il aussitôt, il n'était pas homme à souffrir — ce qui le *révoltait* le plus était qu'elle ne lui ait rien dit, ou qu'elle lui ait menti, elle qui était la femme la plus honnête qu'il connût. Il voyait bien, à la façon dont elle s'humectait nerveusement les lèvres, qu'elle n'avait pas l'intention de lui avouer la vérité. Dimitri se surprit à penser qu'elle ferait une piètre joueuse de poker.

— Ton fils ? répéta-t-elle comme si elle n'avait jamais entendu ce mot.

Sa question transforma la colère de Dimitri en un brasier rugissant, et il prit soin de ne pas répondre avant d'avoir repris le contrôle de ses émotions. Jamais, en trente-six ans, il n'avait été à ce point furieux, pas même à l'encontre de son escroc de père ou de sa mère volage. Il était à deux doigts de la secouer et de hurler, de lui demander pourquoi *elle*, entre toutes les femmes, l'avait trahi. Mais il avait appris depuis longtemps que montrer sa colère, même si Erin ne pouvait pas l'ignorer, était contre-productif.

— Ne joue pas les innocentes, dit-il d'une voix doucereuse. Tu insultes mon intelligence. Tu devrais avoir une réponse toute prête à cette question. Tu t'imaginais bien que je te la poserais un jour, non ? Ou alors, tu pensais peut-être que je n'apprendrais jamais la vérité ? Non, tu n'es pas si naïve. Au fond de toi, tu savais qu'un jour tu aurais des comptes à me rendre.

Erin était l'image même de la culpabilité. Elle regardait de droite à gauche tel un animal acculé, et ce spectacle ne cadrait pas avec le souvenir qu'il avait d'elle. La créature pâle en robe de mariée bon marché ne ressemblait pas à l'Erin qu'il avait connue, l'assistante fidèle et efficace qui avait travaillé à ses côtés pendant des années et qui, contrairement à toutes les femmes de la planète, avait paru insensible à son charme. Il lui avait peu à peu donné accès au moindre aspect de sa vie privée et professionnelle. Elle était la seule personne à laquelle il eût jamais fait confiance. Et il concédait aujourd'hui que de coucher avec elle avait été une erreur. Les choses, après cela, avaient changé. Mais comment avait-elle osé lui cacher pendant des années les conséquences de cette nuit ?

— Ne me dis pas que tu vas continuer à nier, Erin. Parce que tu perdrais ton temps.

Erin fut parcourue d'un long frisson. Mû par un instinct qu'il n'était pas sûr de reconnaître, Dimitri ôta sa veste pour la lui mettre sur les épaules. Le tissu sombre accentua son teint cireux et il fronça les sourcils, se demandant si elle ouvrait ses grands yeux verts dans l'espoir de l'apitoyer. Si c'était le cas, c'était peine perdue.

— Sortons d'ici, ordonna-t-il.

Il la souleva presque de sa chaise pour la conduire à l'extérieur, où une bouffée d'air glacial la fouetta. Erin vit les passants la regarder curieusement, jeune mariée tremblante enlevée par un géant blond. Une limousine se matérialisa devant eux et Dimitri la poussa sur la banquette avant de prendre place à côté d'elle. Il lança un ordre au chauffeur, qui démarra sur les chapeaux de roues.

— Où allons-nous ? demanda-t-elle en regardant autour d'elle d'un air affolé. Où m'emmènes-tu ?

— Arrête ton cinéma. Il faut que nous parlions, chez toi ou chez moi. Je te laisse décider.

Erin arbora une mine horrifiée — c'était à croire qu'il venait de lui offrir le choix entre deux poisons. Puis elle se mordit la lèvre inférieure, ce qui eut pour effet de faire naître sur ses joues un incarnat du plus bel effet.

Dimitri repensa à la façon dont il l'avait embrassée quelques instants plus tôt. Il avait voulu lui donner une leçon, et montrer à Chico qui était le patron. Mais les choses ne s'étaient pas passées exactement comme il l'avait voulu, n'est-ce pas ? Sa libido avait démarré au quart de tour et, malgré sa rage, il avait dû faire un effort surhumain pour ne pas l'embrasser de nouveau, l'attirer à lui et s'enivrer de la sensation de son corps souple contre le sien. Il avait oublié à quel point elle s'embrasait quand il la touchait, et la sexualité débridée qui se cachait derrière sa façade timide.

Il la vit déglutir, et perçut la note d'inquiétude dans sa voix lorsqu'elle demanda :

— Pourquoi ne pas parler ici, dans la voiture ?

— Je pense que tu connais la réponse à cette question, Erin. Par souci de discrétion d'abord, car mon chauffeur parle anglais aussi bien que russe. Ensuite, parce que vu la nature de ce que nous avons à nous dire, il est préférable de ne pas avoir cette discussion dans un endroit confiné.

Dimitri baissa la voix et ajouta :

— Découvrir que j'ai un fils et que tu m'en as caché l'existence pourrait me conduire à faire quelque chose que je regretterais.

Erin resserra sa veste sur ses épaules, troublée par le parfum boisé dont le tissu était imprégné. Où qu'elle regardât, elle était prise au piège. Elle ne voulait pas inviter Dimitri dans la maison qu'elle partageait avec Leo et sa sœur Tara. Non qu'elle eût honte de la modestie du lieu. Non, le problème était bien plus grave. Elle était tout simplement terrifiée à la perspective qu'il rencontre Leo. Elle redoutait qu'il lui prenne son fils. N'essaierait-elle pas de faire de même, si les rôles étaient inversés ? Si elle découvrait que quelqu'un lui avait caché l'existence de son enfant pendant des années ?

Un sentiment de désespoir la balaya lorsqu'elle envisagea l'avenir. Elle savait désormais qu'il était inutile de mentir. N'avait-elle pas failli, à plusieurs reprises, appeler Dimitri pour tout lui avouer ? N'avait-elle pas souffert de voir son fils grandir sans père ? En tout cas jusqu'à ce qu'elle se remémore Dimitri et son mode de vie…

Elle se rappelait les heures qu'il avait passées dans des boîtes de nuit ou à brûler des millions au casino comme s'il s'agissait d'argent de poche, dans les vapeurs de vodka ou de whisky. Elle se rappelait les femmes qui passaient dans son lit, des blondes à l'opulente poitrine et aux jupes plus courtes encore que leurs idées. Erin n'avait pas voulu que son fils grandisse dans un tel univers en s'imaginant qu'il s'agissait de la norme.

Elle se rappelait aussi la froideur qu'il avait manifestée après leur première étreinte, son expression choquée lorsqu'il avait ouvert les yeux et qu'il avait vu qui se trouvait à son côté. Avec ses cheveux châtains et sa taille moyenne, elle ne ressemblait en rien aux femmes qu'il fréquentait habituellement. Il n'était pas étonnant qu'il ait voulu l'éloigner au plus vite.

— Nous ferions mieux d'aller chez toi, je suppose, dit-elle enfin d'un ton résigné.

Dimitri hocha sèchement la tête avant de cogner contre la paroi de verre qui les séparait du chauffeur et de lancer un ordre en russe. La limousine bifurqua aussitôt vers la gauche pour traverser Londres en direction de la City.

Erin, qui s'était attendue à ce que l'interrogatoire commence, fut surprise de le voir répondre à un coup de fil et se lancer dans une longue conversation en russe. Puis elle se rappela à quel point il était manipulateur — c'était d'ailleurs l'une des raisons de son succès. Il savait qu'en la laissant avec sa peur il établissait sur elle un ascendant psychologique qui lui serait utile plus tard. Il avait sans doute mille questions à lui poser mais les réservait pour le moment où elle serait le plus vulnérable.

Mais à dire vrai, il n'y avait qu'une question à laquelle elle pourrait difficilement répondre…

La voiture les déposa au pied de la tour élégante où il habitait, et Erin fut prise d'un affreux sentiment de déjà-vu en traversant le luxueux hall de marbre et sa forêt de palmiers en pots. Elle était venue là à plusieurs reprises et appréciait l'appartement de Dimitri malgré sa froideur. La vue qu'il offrait sur la Tamise était spectaculaire, tout comme les volets qui bougeaient avec le soleil, les lumières commandées par la voix ou les haut-parleurs dissimulés dans les murs. Elle avait aimé l'endroit jusqu'au moment où elle avait, un soir, franchi la ligne rouge, et surpris son patron dans un instant de vulnérabilité…

Il lui avait pris sa virginité sur la table du salon, après

avoir arraché sa culotte comme un homme possédé et s'être perdu en elle avec une férocité presque animale.

— Dépêche-toi, marmonna Dimitri, la poussant presque dans l'ascenseur. Je ne veux pas ruiner ma réputation en étant vu avec une femme en robe de mariée d'occasion.

— Je ne pensais pas que ta réputation pouvait tomber plus bas !

— Preuve que tu me connais mal.

— Tu crois ?

Dans l'ascenseur qui les propulsait vers le sommet de la tour, elle songea qu'il valait mieux oublier le passé et se concentrer sur le présent. Si seulement elle n'avait pas fait preuve de faiblesse, ce soir fatidique… Mieux que quiconque, elle savait pourtant que céder à la passion ne donnait rien de bon.

Elle remonta les pans de sa robe pour franchir le seuil de l'appartement. Rien n'avait changé, constata-t-elle, mais elle ne savait si elle en était heureuse ou déçue. Les œufs de Fabergé que Dimitri collectionnait étaient toujours exposés dans l'entrée, conférant au lieu une atmosphère de luxe. Le préféré d'Erin était une sphère d'or parfaite incrustée d'émeraudes et de rubis. Son éclat, sous le soleil d'automne, semblait aujourd'hui la narguer.

— Suis-moi, ordonna-t-il comme s'il répugnait à la laisser sans surveillance.

Il avança dans le salon de réception, une pièce dominant un paysage de verre et d'acier qui abritait tout ce que la ville comptait de gens riches et influents. Plus encore que la vue, c'était pourtant le salon qui attirait l'attention, en partie du fait des bonzaïs que Dimitri avait toujours appréciés. Erin fixa l'érable du Japon posé sur une table de marbre comme si elle retrouvait un vieil ami. Elle avait toujours admiré ce petit arbre et ses spectaculaires feuilles rouges.

Lorsqu'elle redressa la tête, la lueur rageuse qui consumait le regard de Dimitri lui rappela ce qu'elle faisait là.

— Je t'écoute, dit-il sèchement. Explique-toi.

Erin, sentant ses genoux s'entrechoquer, s'assit sur un canapé sans y avoir été invitée. Elle ne voulait pas s'effondrer devant lui — il était essentiel de paraître forte et sûre d'elle. Elle se força donc à affronter son regard avant de répondre d'une voix ferme :

— Il n'y a pas d'explication à donner. Tu connais les faits aussi bien que moi. Nous avons passé la nuit ensemble…

Erin s'interrompit, encore sidérée par ce qui s'était passé. Comment avait-elle fini dans son lit alors qu'il pouvait avoir toutes les femmes qu'il désirait ? Bien sûr, elle l'avait trouvé séduisant. Il était impossible de ne pas être affectée par la symétrie à la fois virile et sensuelle de ses traits, par sa crinière d'or sombre. Toutes les femmes se retournaient sur son passage et elle était faite de chair et de sang. Mais jusqu'à ce soir-là, elle n'avait jamais trahi son admiration pour lui. D'abord par professionnalisme, ensuite parce qu'elle avait toujours cru qu'elle n'avait aucune chance. Elle n'était pas assez jolie pour ça. Et elle était sa secrétaire.

Elle avait travaillé pour lui pendant des années, après avoir commencé au bas de l'échelle dans sa société. Erin soupçonnait qu'il l'avait promue parce qu'elle était la seule à ne pas perdre tous ses moyens lorsqu'il entrait dans une pièce. Elle s'était endurcie pour résister à son sex-appeal et s'était efforcée de le traiter comme n'importe quel autre homme, avec respect et dignité. Dimitri avait apprécié son calme olympien en toutes situations et lui avait confié des responsabilités de plus en plus importantes, jusqu'à en faire son assistante personnelle. Son travail était devenu sa vie et elle ne comptait plus le nombre de fois où elle avait dû partir au beau milieu d'un dîner, ou rater la seconde moitié d'un film parce que son patron avait besoin d'elle.

Elle devait reconnaître qu'elle avait apprécié d'être devenue si nécessaire, elle, l'insignifiante Erin Turner. Peut-être avait-elle, après tout, un ego plus important qu'elle ne le croyait ? Peut-être était-ce ce même ego qui l'avait poussée à tomber amoureuse de lui malgré la vie de plus en plus dissolue qu'il menait ?

Femmes, alcool, boîtes de nuit — il était l'incarnation parfaite de l'oligarque tel qu'on se le représente généralement. C'était à croire qu'il cherchait à se prouver quelque chose, ou à le prouver au monde entier. Ses gueules de bois étaient légendaires et il n'était pas rare de le voir apparaître en deux endroits opposés du monde en moins de vingt-quatre heures, toujours avec un mannequin à son bras. Il frayait aussi bien avec des stars qu'avec des voyous, et passait aisément des casinos les plus huppés aux salles de jeu les plus sordides. Il avait vécu à trois cents à l'heure, de plus en plus vite, de plus en plus fort. Même son fidèle garde du corps, Loukas Sarantos, avait fini par jeter l'éponge et par démissionner.

Etait-ce à cause de ses sentiments pour Dimitri qu'elle avait entrepris de veiller sur lui, une tâche qui ne faisait pas partie de sa description de poste ? Etait-ce pour cela qu'elle s'était rendue chez lui un soir de pluie, des documents sous le bras, parce qu'il ne répondait pas au téléphone et qu'elle s'était imaginé le pire ?

Elle se rappelait encore à quel point sa main tremblait lorsqu'elle avait sonné, un tremblement qui s'était accentué quand il lui avait ouvert vêtu d'une simple serviette autour de la taille, son corps bronzé ruisselant d'eau. Erin avait été si soulagée de le voir qu'elle en était restée muette. La soirée repassa tel un film dans sa tête, aussi claire que si elle s'était déroulée la veille…

— Oui ? avait-il demandé avec impatience. Qu'est-ce que vous voulez ?

— Je… euh, je vous ai apporté des papiers à signer.

Il avait froncé les sourcils, puis lui avait fait signe de le suivre tandis qu'il se dirigeait vers le salon.

— Ça ne pouvait pas attendre demain ?

Quelque peu ébranlée par le spectacle de son patron à demi nu, Erin avait décidé de jouer cartes sur table.

— Pour tout vous dire, je me faisais du souci pour vous.

— Pour quelle raison ?

— Vous ne répondiez pas au téléphone.

Elle avait songé à le mettre en garde au sujet de ses mauvaises fréquentations mais sa langue était restée collée à son palais. En cet instant, si quelqu'un était en danger, c'était bien elle !

Son trouble avait dû transparaître sur son visage, ou peut-être avait-il deviné à quel point elle était nerveuse à la façon dont elle s'était humecté les lèvres. Le regard de Dimitri s'était illuminé comme s'il venait de résoudre mentalement une équation complexe et un sourire de prédateur avait étiré ses lèvres.

— Oh ! je vois. Et dire que je pensais que vous étiez la seule femme immunisée contre mon charme, Erin.

Elle n'avait pas eu le temps de protester. Il l'avait attirée à lui et l'avait embrassée avec fougue. A son grand dam, Erin avait fondu entre ses bras. Aucun homme ne l'avait jamais embrassée ainsi. *Jamais*. Son excitation était telle qu'elle n'avait pas remarqué tout de suite que la serviette de Dimitri avait glissé à terre.

Elle ne s'en était rendu compte qu'en sentant sa main glisser le long de son dos et rencontrer une fesse nue.

— Choquée ?

— Non.

— Je crois que vous avez envie de moi. Vous avez envie de moi, *zvezda moya* ?

Le soleil se levait-il le matin ?

Bien sûr qu'elle avait envie de lui !

Erin avait hoqueté de stupeur et d'excitation mêlées lorsqu'il lui avait ôté sa veste et sa jupe. Elle avait songé un instant qu'il allait l'emmener dans sa chambre, comme dans ses fantasmes, mais il l'avait allongée sur la table du salon, telle une victime sacrificielle. Ensuite, tout s'était passé très vite. Il lui avait arraché ses sous-vêtements avec une passion presque animale, et Erin avait été stupéfaite de constater que cette violence à peine contenue l'excitait. Elle se souvenait vaguement qu'il avait glissé un préservatif avant de s'enfoncer en elle.

Elle était vierge mais ni lui ni elle n'avaient évoqué le sujet. Elle n'était pas sûre qu'il s'en fût rendu compte et, contrairement à ce qu'elle avait entendu dire, elle n'avait pas eu mal. Elle n'avait ressenti que du plaisir, si intense que le monde aurait pu s'effondrer autour d'eux sans qu'elle le remarque.

Elle se rappelait le premier estoc — c'était comme s'il avait voulu se perdre en elle. Et n'avait-elle pas ressenti la même chose ? Elle avait l'impression que sa vie entière l'avait préparée à ce moment. Elle avait gémi sous le coup de deux orgasmes successifs, puis il avait ri de façon triomphante, passant un doigt sur ses lèvres tremblantes. Il avait déclaré qu'elle réagissait encore mieux que sa voiture de sport favorite…

***

— Oui, nous avons passé la nuit ensemble, répéta-t-il, l'arrachant soudain à ses souvenirs érotiques.

Erin revint avec un sursaut à la réalité — sa robe de mariée bon marché et le visage glacial de Dimitri.

— Je pensais que nous étions d'accord pour dire qu'il s'agissait d'une erreur.

Elle acquiesça, livide. Une erreur, c'était exactement le terme qu'il avait employé le lendemain matin. Erin n'avait eu d'autre choix que d'acquiescer. Que pouvait-elle faire d'autre ? S'accrocher à son corps nu et le supplier de recommencer ? Lui dire qu'elle voulait veiller sur lui et le protéger ? Le drap avait glissé de ses seins et Dimitri avait bondi du lit, la mine sombre, comme s'il avait hâte qu'elle disparaisse. Ses derniers mots avaient tué dans l'œuf ses derniers espoirs.

— Je ne suis pas l'homme que tu cherches, Erin. Trouve-toi quelqu'un de doux et de gentil. Quelqu'un qui te traitera comme tu le mérites.

Il avait quitté le pays le lendemain et, au cours de la semaine suivante, avait réduit toute communication au minimum. Erin avait joué le jeu, se comportant avec un professionnalisme irréprochable.

— Et j'ai utilisé un préservatif. Je n'oublie jamais.

Ses paroles lui avaient rappelé qu'elle n'avait été qu'une maîtresse parmi d'autres, et elle avait enfoui ses mains moites dans les frous-frous de sa robe.

— Je le sais. Ce n'est pas infaillible. La preuve…

— Je n'ai jamais voulu d'enfant, avait ajouté Dimitri, amer.

Cela, elle le savait aussi. Il n'avait jamais caché son aversion pour le mariage — une perte de temps — ou la paternité — pas faite pour lui. Etait-ce pour cela qu'elle avait décidé de lui cacher la vérité ? Parce qu'elle avait peur qu'il ne la force à se débarrasser du bébé ? Elle était allée jusqu'à chez lui pour tout lui avouer, mais ce qu'elle y avait vu lui avait fait tourner les talons et l'avait convaincue de garder le silence.

Le reproche qu'elle lisait sur les traits de Dimitri réveilla sa colère. Elle songea à Leo, à son visage poupon, rosi et chaud après son bain du soir, et riposta sèchement :

— Dans ce cas, fais comme si tu n'avais pas de fils et que rien n'avait changé, car je n'attends rien de toi. Tu n'as qu'à tourner les talons et tout oublier. Leo et moi nous débrouillons très bien sans toi.

Une lueur qui ressemblait presque à du plaisir éclata dans le regard de Dimitri, et elle se rappela à quel point il aimait les conflits. Il adorait se battre — parfois physiquement. Et il remportait tous ses combats, sans exception.

— Tu te débrouilles très bien ? répéta-t-il d'une voix douce.

— Oui, répondit-elle avec le sentiment d'avancer en terrain miné.

— Comment expliques-tu, dans ce cas, que je t'aie trouvée dans une robe de mariée de pacotille, sur le point d'enfreindre la loi ?

Gênée, la jeune femme s'humecta les lèvres mais ne répondit pas.

— Pourquoi, Erin ?

— J'avais mes raisons.

— Je veux les connaître.

Elle hésita, consciente de ne pas pouvoir lui cacher plus longtemps la vérité.

— Leo et moi vivons avec ma sœur. Elle a un petit café dans l'est de Londres.

— Je sais.

— Comment ?

— J'ai fait faire une enquête sur toi.
— Quoi ? Pourquoi ferais-tu une chose pareille ?
— A cause de l'enfant, bien sûr, répondit Dimitri avec un mépris évident.
— Comment as-tu découvert son existence ?
— Aucune importance.
— Ça en a pour moi.
— Je m'en moque. Il va juste falloir que tu acceptes le fait que je suis au courant. Continue.
Le cœur lourd, Erin baissa les yeux. Inutile de se leurrer, elle avait perdu la bataille.
— Leo fréquente une école du quartier. Il a de très bons résultats mais…
— Mais ?
Elle regarda de côté, tentant de lui cacher la peur qu'elle éprouvait, celle de ne pas en avoir fait assez pour son fils.
— Il est doué en sport et le quartier n'est pas idéal pour ça. Il faut prendre le bus pour se rendre au parc le plus proche, et Tara et moi sommes souvent trop occupées au café pour l'y emmener. Tu te souviens de Tara, ma sœur ?
— Oui.
Erin prit une profonde inspiration. Elle avait espéré voir son visage s'adoucir, ou une lueur de compréhension apparaître dans les yeux de Dimitri. Mais il resta impassible et elle eut soudain envie de lui faire comprendre que, si elle avait failli enfreindre la loi, c'était pour d'excellentes raisons.
— Chico vient d'une riche famille brésilienne et il aimerait rester en Angleterre. Il n'était pas sûr d'obtenir ses papiers et il m'a offert une somme d'argent conséquente si je l'épousais. Je comptais utiliser cette somme pour déménager à la campagne. Je voulais que

Leo puisse respirer le grand air et se dépenser dans un jardin.

Dimitri ne se dérida toujours pas. La mine sombre, il se dirigea vers la cheminée et fit tinter une clochette posée sur le manteau. Quelques secondes plus tard, une grande blonde apparut. Ses cheveux lisses coupés en un carré parfait encadraient un visage aux pommettes hautes, typiquement slave. Erin ne fut donc pas surprise lorsque Dimitri s'adressa à elle en russe. La blonde acquiesça, puis pivota sur ses talons hauts et disparut.

Le silence retomba, plus oppressant encore que l'interrogatoire auquel il venait de la soumettre. Parviendrait-elle jamais à convaincre Dimitri qu'elle avait pensé agir dans l'intérêt de tous ?

Erin fut surprise lorsque la blonde revint quelques minutes plus tard, un jean et un pull de cachemire sur le bras. Elle les lui tendit avec un sourire.

— Je crois que ça vous ira, dit-elle dans un anglais parfait. Si le jean est trop grand, je peux vous prêter une ceinture.

— *Spassiba*, Sofia, grommela Dimitri.

La blonde fit un signe de la tête et quitta la pièce de sa démarche chaloupée. Erin étudia les vêtements, médusée.

— C'est pour qui, tout ça ?

— A ton avis ? Sofia a accepté de te prêter ses propres affaires. Je vais te raccompagner chez toi et je n'ai pas envie d'être vu quittant mon appartement avec une femme en robe de mariée, surtout celle-ci. J'évite la publicité, ces derniers temps.

Erin plissa les yeux, intriguée. Elle comprenait mieux pourquoi elle ne l'avait pas vu en première page des tabloïds depuis une éternité. Avait-il appris à dissimuler ses frasques ?

Elle fut un instant tentée de refuser ses ordres mais

elle s'était mise à frissonner. Le moment était mal choisi pour attraper froid — quelque chose lui disait qu'elle allait avoir besoin de toutes ses forces. Elle acquiesça donc.

— Très bien. Mais il est inutile que tu me raccompagnes. Je prendrai le bus.

— Je ne crois pas que tu comprennes bien la situation, Erin. Je ne te *demande* pas la permission de te raccompagner. Je vais le faire, que tu le veuilles ou non, parce que j'ai l'intention de rencontrer enfin mon fils.

3.

— Tu ne peux pas faire ça ! fit valoir Erin, presque désespérément.

Assis à côté d'elle à l'arrière de la limousine, Dimitri était aussi raide qu'une statue de granit. Erin décida de faire une dernière fois appel à son cœur, même si elle doutait qu'il en possédât un. Elle n'aurait pas été surprise de découvrir qu'il était en fait un robot.

— Tu ne peux pas débarquer comme ça dans la vie d'un petit garçon de six ans et lui annoncer que tu es son père !

— C'est ce qu'on va voir.

L'expression menaçante du Russe rappela à Erin sa légendaire férocité. Il n'avait jamais essayé de démentir cette réputation, fort utile pour éloigner les importuns. Mais elle avait beau savoir qu'il ne se laisserait pas fléchir, elle insista.

— Réfléchis, Dimitri.

— Réfléchir ? Je ne fais que ça depuis qu'on m'a montré la photo de mon fils.

— C'était quand ?

— Il y a une semaine, répliqua-t-il sèchement.

Erin hocha la tête, déterminée à ne pas se laisser intimider par sa colère. Elle devait se battre, ne serait-ce que pour protéger Leo.

— Il ne te connaît pas, commença-t-elle.

— A qui la faute ?

Une vague de remords la submergea et la fit taire. Sa décision de lui cacher l'existence de Leo, soudain, ne lui paraissait plus si justifiée. Il fallait dire que Dimitri semblait transformé. L'homme au regard limpide assis près d'elle ressemblait fort peu au fêtard qui arrivait au bureau le matin en exigeant du café noir d'une voix pâteuse.

— C'est ma faute, admit-elle. Mais je pensais bien faire.

— L'enfer est pavé de bonnes intentions. Je me moque de ce que tu pensais faire, Erin. Tout ce qui m'importe, c'est mon fils. Ma chair et mon sang.

— Bien sûr. Mais si vraiment tu te préoccupes de son bonheur, mets-toi à sa place. Imagine ce qu'il va ressentir si tu débarques dans sa vie bille en tête.

— Tu aurais dû y penser avant, tu ne crois pas ?

Erin étudia sa question en silence, profitant du répit que lui offrait un feu rouge. Dimitri n'était sensible qu'à la logique et la seule façon de le convaincre était de lui présenter des faits irréfutables. Elle lança le premier qui lui traversa l'esprit.

— Tu as toujours dit que tu n'avais pas envie d'avoir d'enfant.

— Tu ne m'as pas laissé le choix !

— Mais tu n'as pas changé pour autant. Tu pourrais rencontrer Leo et le regretter. Et si nous lui disons que tu es son père, il ne sera plus question pour toi de disparaître. Tu ne préférerais pas bénéficier d'une, comment dire… *période d'essai* ? Te réserver la possibilité de changer d'avis sans pour autant traumatiser un enfant ?

Dimitri pinça les lèvres, perturbé. Erin le connaissait bien, peut-être mieux que quiconque. Il voyait ce qu'elle essayait de faire mais elle avait raison. Que se passerait-il s'il décidait qu'après tout il était mieux sans enfant ? Ou si le petit garçon exigeait de lui une affection qu'il était incapable de lui offrir ?

— Que suggères-tu, au juste ? demanda-t-il.

Erin affronta son regard furieux sans ciller.

— Nous ne nous sommes pas vus depuis une éternité. Je veux être certaine que tu n'es plus l'homme d'autrefois. Tu vas devoir me convaincre que tu as changé. Je ne veux pas que Leo grandisse dans un milieu où le jeu, la boisson et le sexe à outrance sont considérés comme des passe-temps banals.

— En d'autres termes, tu veux me faire passer un examen.

— Ça t'étonne ? Nous devons aussi discuter de ce que nous allons lui dire. Il faut présenter un front uni.

Dimitri se hérissa, irrité par ses exigences. C'était à croire qu'il n'avait pas son mot à dire dans l'affaire, alors qu'il était clairement le parti floué ! Il avait beau regarder, il ne voyait pas la moindre lueur de regret dans les yeux d'Erin.

Un accès de colère lui raidit les muscles. Sans crier gare, il la saisit soudain par les bras. La jeune femme sursauta, puis ses lèvres s'entrouvrirent. Une expression méfiante s'était peinte sur son visage mais il voyait bien que, malgré la crainte qu'il lui inspirait, elle le désirait encore. Une sensualité presque oppressante alourdissait l'atmosphère et il se surprit à étudier les pointes de ses seins, qu'il devinait à travers son pull de cachemire. Qu'il serait facile de glisser les mains dessous, de la caresser et de l'écouter gémir de plaisir…

Il faillit mettre ce fantasme à exécution, puis se rappela qu'il s'agissait de la femme qui lui avait caché l'existence de son fils. Comment pouvait-il la désirer ? Il la relâcha brusquement, se demandant si elle avait conscience de la déception qui s'affichait sur son visage.

Il sourit, sarcastique, et prit quelques secondes pour jouir de son évident dépit.

— Que comptais-tu faire après ton mariage ? questionna-t-il. Rentrer au café et parader avec ton nouveau mari devant les habitués ?

— Non. Nous… nous étions censés passer un long week-end dans un hôtel hors de Londres. Chico y a apporté ma valise hier.

— C'était ça, ta lune de miel ? demanda Dimitri, sarcastique. Un week-end hors de Londres ?

— Ce n'était pas vraiment une lune de miel et tu le sais très bien. Son seul but était de donner de la crédibilité à notre mariage.

— Leo est au courant ?

— Du mariage ? Bien sûr. Il aime beaucoup Chico. Nous devions aller vivre tous ensemble dans un manoir à la campagne.

— Un faux mariage avec un homosexuel… Comment comptiez-vous faire, d'un point de vue pratique ? Chambres séparées ?

— Je n'en sais rien ! Je n'ai pensé qu'à l'avenir de Leo. Je voulais lui offrir la sécurité financière dont nous ne disposons pas pour le moment.

— Et tu trouves que c'est un bon exemple, pour un enfant ? Un mariage fondé sur un mensonge ? Tu critiques mon mode de vie mais tu ne vaux pas mieux.

Erin regarda nerveusement par la fenêtre — ils approchaient de son quartier.

— Je ne veux pas en parler davantage. Nous sommes presque arrivés.

Suivant son regard, Dimitri étudia à son tour les rues grises, luisantes de pluie.

— Mon fils sera là ?

Erin tiqua à cette question, puis se ressaisit. Leo *était* son fils, et elle n'avait d'autre choix que de l'accepter.

— Non. Il est encore à l'école. Il rentre dans deux heures.

Dimitri fit craquer ses doigts, songeur. A son grand dam, Erin avait raison. Leo était innocent, dans cette histoire, et il ne voulait pas le déstabiliser. Ils devaient procéder par étapes. Le problème, c'était qu'il était attendu au Jazratan le lendemain pour y conclure un contrat pétrolier auquel il travaillait depuis de longues années. Le cheikh Saladin Al Mektala prendrait fort mal un report de leur rendez-vous.

Mais Leo passait avant ses affaires. Cette pensée prit Dimitri de court, lui qui avait toujours considéré sa carrière comme la chose la plus importante dans sa vie.

Il jeta un regard de biais à Erin, qui ne semblait plus faire attention à lui. Tête baissée, elle triturait les fausses perles piquées dans ses cheveux. Dimitri songea qu'il pourrait faire la connaissance de Leo à son retour mais il répugnait à abandonner la jeune femme. Et si elle profitait de son absence pour disparaître avec son fils ? Elle en était capable. Elle était capable de tout.

A moins que… Pensif, il pianota du bout des doigts sur sa cuisse, examinant sous tous les angles l'idée qui venait de germer dans son esprit. Elle n'était pas parfaite, mais elle avait le mérite d'être simple. Et plus il y réfléchissait, plus elle lui plaisait. Restait à convaincre Erin d'accepter.

— Puisque tu étais censée partir en lune de miel, je suppose que Leo ne s'attend pas à ce que tu rentres ?

— Non, répondit-elle après une hésitation, comme si elle flairait un piège.

— Dans ce cas, écoute-moi bien. Voilà ce que tu vas faire. Tu vas aller préparer une nouvelle valise.

— Pourquoi ?

— Tu as dit que nous devions présenter un front uni, et que tu voulais réapprendre à me connaître. Nous avons tout le week-end pour le faire et nous allons en profiter. Je dois justement me rendre au Jazratan.

— Voir le cheikh ? Celui qui est passionné de chevaux ?

Dimitri acquiesça, satisfait de voir qu'elle se rappelait ses affaires.

— En personne.

— Tu essaies toujours de racheter une partie de ses puits ?

— Oui. Et je suis à deux doigts de réussir, raison pour laquelle je ne peux pas annuler ce voyage. Tu vas donc venir avec moi.

— Moi ? répéta-t-elle d'une voix aiguë. Mais qu'est-ce que j'irais faire au Jazratan ?

— Ce voyage nous permettra de nous redécouvrir mutuellement, répondit Dimitri. Bien sûr, il faut que je m'assure avec les assistants du cheikh que ça ne pose pas de problème, mais je pense que tout ira bien. Je prétendrai que j'ai besoin de toi pour les négociations. Après tout, tu connais très bien le dossier.

— Tu… tu es devenu fou ?

L'humeur de Dimitri changea alors du tout au tout. Son sourire s'effaça pour révéler une expression glaciale, d'une dureté presque effrayante.

— Non, je ne suis pas devenu fou. J'essaie de trouver une solution raisonnable et de résister à mon envie de tout dire à ce petit garçon, y compris que sa mère est une menteuse. Nous pouvons aussi régler cette affaire devant les tribunaux. Quand un juge apprendra que tu m'as caché l'existence de mon fils, nous verrons bien comment il réagira. Je te suggère donc d'accepter mon offre. De toute façon, tu perds ton temps en essayant de négocier. Tu sais très bien que j'obtiens toujours ce que je veux.

Erin se renfrogna, vaincue. Oui, il gagnait toujours.

Mais partir à l'improviste au Jazratan ? Pouvait-il vraiment l'y forcer ? Elle vit une veine qui pulsait sur sa tempe, signe que sa patience, qui n'était déjà pas une de ses qualités premières, était épuisée. Il avait raison, il ne servait à rien de lutter.

— Je suppose que je n'ai pas le choix.

Un sourire étira les lèvres de Dimitri sans pour autant éclairer son regard.

— C'est la chose la plus sensée que tu aies dite aujourd'hui. Va préparer tes affaires et explique à ta sœur qu'il y a un changement de plan.

Tirant une carte de sa poche, il ajouta :

— Si elle a besoin de te joindre, elle pourra appeler à ce numéro.

Erin prit la carte au moment où la limousine se garait devant Oranges & Lemons, le café de sa sœur. La gorge nouée, elle mit la main sur la poignée, songeant qu'il était encore temps de s'enfuir. Elle pouvait récupérer Leo à l'école et aller se cacher chez une amie. Dimitri n'aurait d'autre choix que de partir au Jazratan, ce qui lui donnerait un court répit et lui permettrait de réfléchir à l'avenir.

Comme s'il avait lu dans ses pensées, son compagnon referma la main sur son épaule.

— Ne me fais pas attendre. Et au cas où tu serais tentée de disparaître, je te le déconseille fortement. Mon chauffeur viendra te chercher dans une heure. Compris ?

Erin tremblait encore lorsque la limousine tourna au coin de la rue. Elle prit quelques instants pour se ressaisir, puis poussa la porte du café. L'endroit était accueillant, décoré de dessins d'enfants du quartier et de natures mortes représentant les fruits qui avaient donné leur nom au lieu. Erin adorait cette explosion de couleurs lorsqu'elle entrait, mais aujourd'hui, elle la laissa de marbre. Elle ne voyait que les yeux glacials de Dimitri, aussi sûrement que s'il se trouvait devant elle.

Sa sœur Tara essuyait des verres derrière le comptoir. Elle leva la tête, surprise, en la voyant entrer, et cligna les yeux comme une chouette derrière ses lunettes.

— Mais… qu'est-ce que tu fais là ?

Puis elle baissa la voix, même si le café était presque vide à cette heure de l'après-midi, pour ajouter :

— Tu as une mine terrible. Que se passe-t-il ? Est-ce que… est-ce que tu es mariée ?

— Non, répondit Erin.

Tara fronça les sourcils, visiblement intriguée.

— C'est quoi, cette tenue ?

Erin ne comprit d'abord pas à quoi sa sœur faisait allusion. Puis elle se rappela qu'elle portait les vêtements d'une autre.

— Oh ! ça… C'est une longue histoire.

Sa voix se mit à trembler — elle crut un instant qu'elle allait se mettre à pleurer. Elle se ressaisit juste à temps et afficha son expression la plus neutre pour annoncer :

— Dimitri Makarov est revenu.

A ces mots, Tara pâlit comme un linge.

— Il est venu… *en personne* ?

— Oui.

— Grands dieux…

Reposant le verre qu'elle essuyait, Tara indiqua une chaise d'une main tremblante.

— Assieds-toi. Je vais te faire du café.

— Je ne veux pas de café, merci.

Mais sa sœur l'ignora et entreprit de moudre du grain, presque machinalement. Elle en tira un expresso serré qu'elle poussa vers Erin.

— Que s'est-il passé, au juste ? Je veux tout savoir.

Erin lui relata les événements de l'après-midi — ils évoquaient le scénario d'un mauvais film, songea-t-elle en s'entendant parler. Tara l'écouta d'un air incrédule, l'interrompant de temps à autre pour poser une question.

— Il a vraiment dit tout ça ? demanda-t-elle à la fin. Tu n'exagères pas ?

— Hélas, non. Il veut faire la connaissance de son fils. Je dois aller me préparer, maintenant. Il va passer me chercher dans une heure.

— Pour aller où ?

— Si je te le disais, tu ne me croirais pas.

— Essaie quand même.

Erin fit rouler ses épaules pour en chasser la tension, puis reprit :

— Il m'emmène au Jazratan, l'un des Etats les plus riches du Moyen-Orient. Il pense que nous devons réapprendre à nous connaître avant de rencontrer Leo.

— Réapprendre à vous connaître ? Qu'est-ce qu'il veut dire par là ?

— Je n'en ai pas la moindre idée.

Du revers de la main, Erin chassa les gouttes de sueur qui venaient de perler sur son front. Pour se calmer, elle se répéta que rien ne l'obligeait à faire la volonté d'un autre. A ceci près que quand cet autre était Dimitri Makarov les choses n'étaient plus si simples. Lorsqu'elle le regardait, elle nourrissait des rêves interdits, des fantasmes qui ne lui ressemblaient pas. Et elle avait commis l'erreur d'y céder une première fois, lorsqu'elle s'était crue amoureuse de lui. Le regard horrifié qu'il avait posé sur elle, au réveil, aurait dû la vacciner à tout jamais. Sa grande passion avait fini comme toutes les autres — en désastre.

Non, elle ne comptait pas répéter les erreurs du passé. Sa vie n'avait pas été facile depuis qu'elle avait démissionné, mais au moins était-elle libre. Elle n'avait plus à voir tous les jours la source de sa plus grande déception sentimentale.

Elle but son café d'un trait, puis reposa sa tasse et dévisagea sa sœur d'un air pensif.

— La seule chose que je n'arrive pas à comprendre, c'est comment il a pu être au courant, pour le mariage.

Il y eut une pause, puis Tara parla d'une voix qu'Erin ne reconnut pas.

— Je lui ai dit.

Pour la seconde fois de la journée, Erin eut l'impression qu'une poigne d'acier lui broyait le cœur. Elle ne répondit d'abord rien, trop choquée pour émettre le moindre son.

— Tu lui as dit ? répéta-t-elle enfin, éberluée. Tu as parlé à Dimitri du mariage ? *Toi* ?

— Oui.

— Comment… Comment l'as-tu retrouvé ? Tu as cherché son nom dans l'annuaire et tu l'as appelé pour lui dire qu'il avait un fils ?

— Il est facile à trouver, il possède la moitié de Londres ! J'ai eu l'idée de mentionner ton nom et il m'a rappelée tout de suite. Mais je ne lui ai rien dit sur Leo, je te le jure. Je lui ai juste appris que tu allais te marier.

— Dans ce cas, comment a-t-il découvert que j'avais un fils ?

— Je l'ignore ! Et avant que tu me poses la question, non, je ne regrette pas ce que j'ai fait !

Erin ferma les yeux, luttant contre la nausée qui lui tordait l'estomac. Sa sœur était, avec Leo, la personne qu'elle aimait le plus au monde. Comment Tara avait-elle pu la trahir, la livrer pieds et poings liés à un homme aussi dangereux ?

— Pourquoi ? murmura-t-elle. Pourquoi, Tara ?

— Tu sais pourquoi, fit sa sœur d'une voix radoucie. Parce que tu t'apprêtais à enfreindre la loi en épousant Chico et que je redoutais les conséquences d'un tel acte. Mais surtout parce que Leo…

Elle ne termina pas sa phrase, arrachant à Erin un mouvement de colère.

— Parce que Leo quoi ?

— Leo mérite de connaître son père. Tu sais que j'ai raison, Erin. Tu ne te sens pas coupable de lui avoir caché son identité ?

— Bien sûr que je me sens coupable ! Mais les choses sont rarement noires ou blanches, dans la vie. Tu sais très bien pourquoi j'ai pris cette décision, aussi difficile soit-elle. Parce que je ne voulais pas que Leo grandisse dans l'univers décadent de Dimitri !

— Je ne t'ai pas beaucoup entendue t'en plaindre quand tu travaillais pour lui…

Erin ne répondit pas — sa sœur avait raison. Elle avait adoré son travail et avait été aveuglée par la confiance que Dimitri lui manifestait. Elle avait d'abord fait la sourde oreille aux rumeurs. Et quand la réalité s'était imposée à elle, plutôt que de prendre ses jambes à son cou, elle avait décidé d'aider Dimitri. Quelle idiote elle avait été… Son altruisme avait été mal interprété par un homme qui ignorait tout de la gentillesse et ils avaient fini par faire l'amour, un acte qui n'avait pas eu la moindre signification pour lui.

— Et puis, peut-être que Dimitri a changé, renchérit Tara. J'ai lu récemment qu'il avait créé un laboratoire spécialisé dans la recherche sur les maladies infantiles quelque part en Russie. Je crois même qu'il a lancé une fondation caritative qui porte son nom. Accorde-lui au moins le bénéfice du doute.

Du bout du pied, Erin tapa dans la plinthe du comptoir — elle savait que cela irritait Tara.

— Chassez le naturel, il revient au galop, ironisa-t-elle.

— J'ai fait ça parce que je t'aime, soupira sa sœur, penaude. Un jour, avec un peu de chance, tu me remercieras.

Secouant la tête avec colère, Erin monta l'escalier conduisant au studio qu'elle partageait avec Leo au premier étage. Elle avait fait de son mieux pour égayer l'endroit mais l'espace semblait rétrécir de jour en jour, envahi par les vêtements et les livres de son fils. Son regard s'attarda sur les photos du petit garçon à divers stades de sa vie, de sa naissance à son premier jour d'école, l'année précédente. Elle fixa longuement cette dernière, émue par le visage innocent de Leo, et s'en voulut de les avoir mis tous deux dans une telle situation.

Ce fut avec soulagement qu'elle se débarrassa de ses talons et enfila ses propres vêtements. Dimitri, en la revoyant, avait dû la prendre pour une folle. Dans un effort plus ou moins conscient pour donner de l'authenticité à un mariage qui en était dénué, elle avait forcé sur le maquillage, choisi la robe la plus extravagante et demandé au coiffeur de décorer ses cheveux de perles, mais le résultat lui donnait l'impression de ressembler à un sapin de Noël. Elle retira fébrilement les épingles avant de se recoiffer.

Elle devait se ressaisir. Elle avait accepté le marché proposé par Dimitri et elle s'y tiendrait. Ils se rendraient au Jazratan, où elle ferait mine d'être sa secrétaire. Elle répondrait à toutes ses questions sur Leo, à l'issue desquelles il se rendrait compte qu'il n'y avait pas de place pour un enfant dans sa vie. Du moins, c'était ce qu'elle espérait. Cela faisait-il d'elle une mauvaise mère ? Sa vie serait tellement plus facile s'il disparaissait de nouveau ! Pas d'explications gênantes, pas d'entrevues maladroites, pas de garde partagée — et surtout, pas de tentation…

Avec un soupir, Erin reposa sa brosse, puis releva les yeux pour affronter son reflet. *Tout ira bien,* se répéta-t-elle. Elle était capable de gérer cette crise.

Il le fallait.

4.

Depuis l'intérieur de la voiture, Dimitri fixait le café de l'autre côté de la rue. Il avait été tenté de rentrer pour voir l'environnement où grandissait son fils mais il s'était retenu. Par la porte vitrée, il distinguait Tara qui s'affairait derrière le comptoir et préparait des sandwichs. Il l'avait rencontrée une fois, des années auparavant, et elle n'avait pas fait le moindre effort pour dissimuler son inimitié.

Il avait donc été surpris lorsqu'elle l'avait appelé pour lui expliquer, d'un ton à peine aimable, qu'Erin se mariait la semaine suivante. Quand il lui avait demandé pourquoi elle lui faisait part de cette nouvelle, elle n'avait pas répondu. L'attitude de Tara, pourtant, ne l'avait pas dérangé. Il était habitué à l'hostilité de certaines femmes qui s'imaginaient qu'il profitait d'elles ou, dans ce cas précis, de leur sœur bien-aimée.

Dimitri avait la conscience tranquille. Il avait couché avec Erin parce qu'elle l'avait quasiment supplié de le faire, et parce qu'une alchimie bien réelle existait entre eux. Qui aurait cru que sa petite secrétaire, si discrète qu'on la remarquait à peine, était une véritable bombe sexuelle ?

Il avait beau avoir passé avec elle la meilleure nuit de sa vie, il avait décidé de ne pas renouveler l'expérience, à cause de ce qu'il avait ressenti quand il avait croisé son regard au petit matin. Erin n'était pas, à l'inverse de ses conquêtes habituelles, une inconnue rencontrée dans un bar. Au contraire, elle était la personne qui le connaissait le mieux au monde, et il s'était senti incroyablement vulnérable quand elle lui avait souri d'un air ensommeillé. Il avait transgressé sa règle d'or — ne jamais mêler plaisir et affaires — et il s'en était voulu.

La voix de Tara, quand elle lui avait annoncé le mariage d'Erin, avait vibré d'une émotion sourde que la nature de la nouvelle ne justifiait pas. Il s'était demandé pourquoi elle lui faisait part d'un événement aussi anodin. Des dizaines de ses ex s'étaient mariées et ne l'avaient pas prévenu pour autant. Que cachait ce coup de fil ? Pour le découvrir, il avait appelé le patron de l'entreprise de sécurité à laquelle il avait autrefois fait appel et lui avait demandé de faire des recherches. Trois jours plus tard, un homme s'était présenté à son bureau et lui avait tendu une enveloppe. Elle contenait des photos d'un enfant — un enfant qui lui ressemblait trait pour trait.

L'apparition d'Erin, sur le seuil du café, le tira de ses réflexions. Il vit son chauffeur la rejoindre pour la décharger de sa valise. Quand elle s'approcha, Dimitri sentit son cœur se mettre à battre.

Elle avait ôté le maquillage qu'elle portait ce matin et, sans perles dans les cheveux, ressemblait à l'Erin qu'il avait toujours connue. Elle était séduisante, certes, mais elle ne faisait pas le moindre effort pour attirer l'attention sur ce point. Son jean était usé, ses baskets avaient connu des jours meilleurs et son coupe-vent au col doublé de fausse fourrure était défraîchi. Ses longs cheveux châtain étaient noués en une queue-de-cheval qui se balançait dans le vent d'automne.

A sa stupeur, Dimitri sentit son bas-ventre s'alourdir. Bon sang, pourquoi cette fille lui faisait-elle un effet pareil ? Elle était ordinaire. Elle s'habillait sans la moindre recherche, au point qu'il était facile de croire qu'elle faisait tout pour dissimuler sa beauté naturelle. Pourquoi éprouvait-il cette envie brutale de l'embrasser, de posséder de nouveau son corps souple ? Etait-ce un effet aphrodisiaque de la colère ? Ou le souvenir du feu qui brûlait derrière cette façade sans éclat ?

Le chauffeur ouvrit la porte de la limousine et la jeune femme s'y engouffra dans une bouffée d'air frais. Dimitri se demanda s'il s'était imaginé le dépit qui se peignit sur ses traits lorsqu'elle le vit assis dans la pénombre.

— Tu espérais que j'allais changer d'avis et te laisser tranquille ? ironisa-t-il.

Le regard vert d'Erin rencontra le sien, brûlant d'un défi sourd.

— Oui, répondit-elle. C'est exactement ce que j'espérais.

— Désolé de te décevoir, *milaya moya*. A quelle heure mon fils rentre-t-il de l'école ?

Une expression angoissée se peignit sur le visage d'Erin comme elle regardait sa montre.

— Bientôt. Maintenant, en fait. Nous devrions y aller.

Dimitri hésita, en proie à une émotion qu'il peinait à identifier.

— Non. Pas encore.

— Il ne doit pas nous voir ! Surtout pas !

— Il ne nous verra pas, riposta Dimitri. Les vitres sont fumées. Si vraiment tu as peur, tu n'as qu'à te baisser.

— Mais pourquoi ? Pourquoi prendre le risque ?

C'était une bonne question, et sa propre réaction laissait Dimitri perplexe. Voulait-il se convaincre que toute cette histoire était vraie ? Ou peut-être que son amour du risque n'avait pas complètement disparu ?

Il fit craquer ses doigts avant de déclarer :

— Cinq minutes. S'il n'est pas arrivé passé ce délai, nous partirons.

La tension monta à mesure que les minutes s'écoulaient. Dimitri devait avouer qu'il éprouvait un plaisir pervers à voir la jeune femme s'agiter sur la banquette, son regard balayant nerveusement la rue. Peut-être allait-elle comprendre, maintenant, ce que c'était de se sentir impuissant, sans la moindre prise sur les événements.

— Je t'en prie, Dimitri…

Soudain, quelque chose dans sa posture changea. Elle s'adoucit comme une fleur qui s'ouvrait sous la caresse du soleil. Il suivit son regard et vit un petit garçon remonter la rue en courant, suivi par une femme qui portait son cartable et essayait tant bien que mal de ne pas se laisser distancer.

Dimitri se figea, ramené sans raison précise à sa propre enfance. Il se rappela la photo de famille que ses parents insistaient pour prendre à chacun de ses anniversaires, et où personne ne souriait jamais.

Mais ce petit garçon…

Son cœur se serra. L'enfant riait à gorge déployée quand il poussa la porte du café et disparut à l'intérieur. Leo lui ressemblait, à ce détail près qu'il semblait *heureux*. Dimitri déglutit mais ne parvint pas à déloger la boule coincée dans sa gorge. Il s'était attendu à éprouver de l'indifférence en voyant son fils — il l'avait même espéré. Il lui serait mille fois plus facile d'oublier toute cette affaire, comme le voulait Erin. Il avait déjà tout prévu : il veillerait à ce que l'enfant ne manque de rien et, si ses résultats scolaires le justifiaient, lui offrirait peut-être un poste dans son entreprise, car il n'était pas exclu que Leo héritât un jour de sa fortune.

Mais ce plan venait de s'effondrer. Un émoi sans nom lui tordait le ventre, mélange de fierté et d'instinct possessif, comme le jour où il avait acheté son premier yacht. Non, corrigea-t-il, son yacht ne lui avait jamais procuré une telle joie.

D'une main moins ferme qu'il ne le voulait, il cogna contre la paroi de verre fumée. Son chauffeur, à ce signal, démarra aussitôt.

Erin poussa un long soupir de soulagement et se retourna pour regarder le café disparaître par la lunette arrière. Elle avait eu peur que Leo ne l'aperçoive, et ne vienne lui demander ce qu'elle faisait dans cette grande voiture, et qui était le monsieur à l'air méchant assis à côté d'elle.

— Merci, murmura-t-elle.

— Merci pour quoi ?

— Pour ne pas être allé lui parler.

Dimitri partit d'un rire sarcastique.

— Qu'est-ce que tu croyais ? Que j'allais me précipiter vers lui et me présenter ? « Bonjour, Leo, je suis ton père » ?

— Je ne sais pas. C'est ce que tu avais envie de faire ?

— Non, répondit-il avec irritation. Je voulais me convaincre qu'il s'agissait d'un mauvais rêve. Voir le petit et me rendre compte qu'il ne me ressemblait pas tant que ça, après tout. J'espérais que tu avais un penchant pour les hommes grands et blonds et que je n'étais qu'un père possible dans une longue liste.

— Et maintenant que tu l'as vu ?

Dimitri pinça les lèvres, désorienté. Aucun des reproches qu'un homme lançait à la figure d'une femme dans ce genre de situation ne s'appliquait à Erin. Il savait qu'elle n'était pas tombée enceinte pour le piéger. D'abord parce qu'il avait utilisé un préservatif, ensuite parce qu'elle lui avait caché l'existence de son fils au lieu d'essayer d'en tirer profit. Elle n'avait pas agi comme une croqueuse de diamants.

— Je ne sais pas, soupira-t-il dans l'un de ses rares accès de franchise, sans doute dû au choc qu'il venait d'éprouver. Ma raison continue de me dire que je ne veux pas d'enfant, mais une autre part de moi n'en est plus si sûre… Je suppose que c'est mon instinct de survie, le désir de voir ma lignée se perpétuer.

Le visage d'Erin se froissa comme si elle venait d'avaler quelque chose d'amer.

— C'est tout ce qu'il est à tes yeux ? Une simple descendance ?

— Et que veux-tu qu'il soit d'autre ? Tu m'as privé de la chance de le voir grandir, de m'attacher à lui. Je ne savais même pas qu'il existait ! Tu croyais que j'allais devenir un papa-gâteau dès l'instant où je poserais les yeux sur lui ?

Erin grimaça, d'autant plus ébranlée qu'il avait raison.

— Je ne veux pas que cette discussion dégénère en dispute, murmura-t-elle.

— En cet instant précis je me moque bien de ce que tu veux, et tu vas m'écouter. Je suis choqué de voir l'environnement dans lequel mon fils a grandi.

— Tu ne devrais pas te fier aux apparences. Notre appartement n'est peut-être pas bien grand mais au moins Leo est heureux et en bonne santé. Nous nous en sortons très bien.

— Mais tu aurais dû faire beaucoup mieux que de t'en « sortir », comme tu dis. Tu aurais pu venir me trouver et me demander mon aide. Tu n'aurais pas eu à vivre dans un trou à rat et à faire un mariage blanc pour gagner de l'argent.

Ses accusations ravivèrent le courage d'Erin. Pourquoi le laissait-elle lui parler sur ce ton ? Elle connaissait assez bien Dimitri pour savoir qu'il prendrait le contrôle de la situation si elle l'y autorisait.

— Tu sais très bien pourquoi je ne t'ai rien dit.

— Parce que je ne voulais pas d'enfant ?

— C'était l'une des raisons. Je…

Erin s'interrompit, presque submergée par l'émotion. Mais qu'avait fait Tara ? Pourquoi avait-il fallu qu'elle ouvre la boîte de Pandore ?

Pour la première fois de sa vie, les conséquences de ses choix lui apparurent avec une clarté aveuglante. Elle n'avait pas donné la moindre chance à Dimitri. A sa place, elle aussi serait ivre de rage. Avait-elle vraiment agi dans l'intérêt de Leo ? Ou avait-elle voulu se protéger également ?

Non, décida-t-elle aussitôt. Tout ce qu'elle avait fait, c'était pour son fils, pour le préserver de la noirceur et de la corruption de l'univers où évoluait Dimitri. Mais lorsqu'elle regarda le Russe, elle crut discerner dans les profondeurs de son regard une émotion qu'elle n'y avait jamais vue. Il paraissait presque… vulnérable. Elle secoua la tête, incrédule, et chassa cette idée de son esprit. Dimitri Makarov n'était pas vulnérable. Il était dur, inflexible.

Quels que fussent ses défauts, ils ne changeaient rien à la culpabilité qu'elle éprouvait en cet instant.

— J'aurais dû te le dire, concéda-t-elle, les yeux baissés.

Dimitri esquissa l'ombre d'un sourire, comme s'il venait de remporter une nouvelle bataille.

— Et pourquoi ne l'as-tu pas fait ?

Erin secoua la tête sans répondre. Elle avait du mal à réfléchir quand il se tenait si près d'elle. Tara avait suggéré qu'il avait peut-être changé, mais si ce n'était pas le cas ? S'il vivait toujours dans le même monde noir et dangereux ? Un souvenir lui revint en mémoire, toujours douloureux malgré le temps écoulé.

— Mais j'ai essayé de te le dire. Tu ne te souviens pas ?

Les yeux plissés, il secoua la tête.

— Je suis venue chez toi un samedi matin, parce que je trouvais préférable de ne pas te l'annoncer au bureau. C'était deux mois après cette fameuse nuit.

Elle s'interrompit pour lui donner le temps de se rappeler, puis ajouta :

— Je suppose que c'est ma faute. Si j'étais venue quelques heures plus tard, les choses se seraient passées différemment…

Erin s'était montrée naïve, mais qui pouvait l'en blâmer ? Elle était seule et elle avait peur. Dix semaines s'étaient écoulées depuis que Dimitri l'avait déflorée et il agissait, depuis, comme si rien ne s'était passé. Il était parti pour affaires en Russie, puis aux Etats-Unis. De là à en déduire qu'il voulait s'éloigner d'elle, il n'y avait qu'un pas qu'elle n'avait pas hésité à franchir. Les jours s'étaient écoulés, interminables, sans le moindre contact. Il était évident qu'il regrettait sa faiblesse passagère.

Elle avait d'abord cru que ses règles étaient en retard à cause du stress. Mais ses seins douloureux étaient plus difficiles à expliquer. Alors, elle était allée acheter un test de grossesse et en avait étudié le résultat, incrédule, assise à même le sol de sa salle de bains. Malgré sa détresse, elle n'avait pas songé un instant à cacher la nouvelle à Dimitri. Elle ignorait comment il réagirait mais elle avait su aussitôt qu'elle garderait l'enfant, et que ses sentiments vis-à-vis de son impitoyable patron passaient au second plan.

Dimitri n'était pas encore rentré et elle répugnait à lui révéler sa grossesse au téléphone ou par mail, ne serait-ce que par souci de discrétion. Elle ne voulait pas risquer d'être entendue ou lue par quelqu'un d'autre. Elle avait donc rongé son frein en attendant son retour.

Il avait fini par l'appeler pour annoncer qu'il serait au bureau le lundi suivant, et elle avait fait de son mieux pour ignorer la froideur de sa voix, comprenant au même instant qu'elle ne pouvait pas lui annoncer la nouvelle sur leur lieu de travail. Elle avait donc résolu de se rendre chez lui pour lui dire la vérité en face. Il n'y aurait jamais de moment idéal pour le faire, alors autant en finir au plus vite.

Elle s'était habillée pour l'occasion — un effort qui lui parut pathétique avec le recul. Elle s'était brossé les cheveux jusqu'à les faire briller, et maquillée avec soin. Elle avait enfilé une robe légère après avoir constaté qu'il faisait beau, mais elle avait sous-estimé la fraîcheur de cette journée de printemps et grelottait lorsqu'elle était arrivée chez Dimitri.

Avait-elle secrètement espéré qu'il la prendrait dans ses bras, qu'il lui murmurerait que tout irait bien ? Bien sûr que oui. C'était naïf mais elle n'y pouvait rien. Son cœur battait la chamade quand elle avait enfin frappé à sa porte. Il avait ouvert à demi nu, pas rasé, les yeux injectés de sang.

— Qu'est-ce que tu veux ? avait-il demandé avec impatience, tout en reboutonnant son jean. Ça ne peut pas attendre ?

Elle l'avait suivi dans l'appartement, sidérée par le chaos qui y régnait. Une bouteille de champagne vide gisait sur le tapis, une seconde à moitié pleine s'éventait sur la table même où Erin avait perdu sa virginité. Le moment semblait mal choisi pour lui annoncer la nouvelle. Mais puisque le vin était tiré, autant le boire jusqu'à la lie.

Il lui avait fallu quelques secondes pour remarquer les vêtements féminins éparpillés dans la pièce, sans doute parce qu'elle était trop occupée à fixer la jaquette d'un film érotique dont le boîtier traînait par terre. Erin n'avait pas une grande expérience des hommes mais il n'était pas difficile de reconstituer ce qui s'était passé.

Au même moment, une femme émergea de la chambre. Erin rougit jusqu'aux oreilles — la nouvelle venue était presque nue à l'exception d'un string minuscule. Ses longs cheveux blonds étaient emmêlés, son mascara avait coulé. Elle s'était avancée dans le salon sans prêter la moindre attention à Erin, sa poitrine opulente ondulant à chacun de ses pas.

— Tu viens te recoucher, *lyubimiyi* ?

Elle était russe, un détail qui avait achevé de briser le cœur d'Erin. Mais le pire avait été le mélange d'irritation et de convoitise qu'elle avait lu dans le regard de Dimitri pendant qu'il étudiait la blonde.

— Attends-moi dans la chambre, j'arrive dans une minute.

Puis il s'était tourné vers Erin, un sourcil en accent circonflexe.

— Alors, qu'est-ce que tu veux ?

— Je…

Elle s'était interrompue, fascinée et horrifiée par la blonde qui s'éloignait de sa démarche chaloupée. Dimitri avait suivi son regard avant de soupirer.

— Ecoute, ce qui s'est passé l'autre soir était une erreur. Si tu es venue dans l'espoir de recommencer…

— Non, bien sûr que non !

Erin s'était forcée à sourire comme s'il s'agissait d'une amusante méprise de sa part. C'était la seule façon pour elle, après ce qu'elle venait de voir, de sauver la face.

— Je suis venue te donner ma démission.

Etait-ce du *soulagement* qu'elle avait lu sur son visage ?

— Tu es sûre ?

Erin avait acquiescé. Il n'avait pas essayé de la dissuader, un fait qui était en soit éloquent. Et dire qu'elle s'était crue son bras droit, son alliée indispensable et irremplaçable… Comment avait-elle pu se tromper à ce point ? Elle était devenue source d'embarras pour lui, pauvre petite secrétaire qui se faisait des idées parce que son patron, dans un instant d'égarement, lui avait fait l'amour.

— J'aimerais partir immédiatement si ça ne te dérange pas, avait-elle renchéri en redressant le menton. Je trouverai quelqu'un pour me remplacer.

— Je suppose que tu as eu une meilleure offre dans une autre société ?

— Bien meilleure, avait confirmé Erin sans se laisser démonter.

Il avait souri, comme s'il la comprenait. De fait, c'était sans doute le cas. S'il y avait une chose que Dimitri acceptait sans sourciller, c'était l'ambition et la quête effrénée du succès. C'était seulement pour les sentiments qu'il n'était pas doué.

Il avait pourtant fait un effort pour exprimer ses regrets, encore que de façon maladroite.

— Je veux que tu saches que… j'ai apprécié de travailler avec toi toutes ces années, avait-il dit avec un haussement d'épaules.

Le plus sage aurait été de se retirer sur ces politesses, avant qu'il ne l'interroge sur son nouveau travail et ne s'aperçoive qu'il n'existait pas. Le problème, c'était qu'elle se faisait du souci pour Dimitri, en dépit de la petite voix qui lui soufflait qu'il ne le méritait pas. Elle avait plongé les yeux dans son regard hanté, rougi par le manque de sommeil, et avait compris que, malgré tous ses efforts, elle ne pourrait pas le sauver. Il devait le faire lui-même.

Mais ne lui devait-elle pas une certaine honnêteté ? Ne devait-elle pas lui dire certaines vérités que personne n'osait formuler ? Comme par exemple que s'il ne changeait pas *maintenant*, il serait bientôt trop tard ?

— Et j'ai apprécié de travailler pour toi moi aussi, avait-elle répondu sans réfléchir. La plupart du temps, en tout cas. Je t'admirais beaucoup, autrefois.

Il avait plissé les yeux, comme s'il avait mal entendu, avant de répéter :

— Autrefois ?

— Je suis désolée d'employer le passé, mais il est difficile d'admirer quelqu'un qui se comporte en parfait idiot.

— *Pardon* ?

Erin avait failli se décourager, mais elle s'était ressaisie et s'était forcée à continuer sur sa lancée.

— Comment appelles-tu quelqu'un qui brûle la chandelle par les deux bouts, qui est en permanence sur le fil du rasoir ? Combien de temps crois-tu que ton corps survivra à ce mélange d'alcool et de manque de sommeil ? Combien de temps avant que ce mode de vie n'affecte ton travail et ta capacité à prendre les bonnes décisions ? Tu n'es pas indestructible, Dimitri, même si c'est ce que tu penses.

La lèvre ourlée par une expression de dédain, Erin avait balayé une dernière fois la pièce du regard. Si Dimitri avait été un peu plus perspicace, il aurait perçu la détresse qui se cachait derrière son attitude bravache. Une fois rentrée chez elle, elle avait fondu en larmes, consciente du fait que sa vie allait changer du tout au tout…

La voix de Dimitri, glaciale et métallique, la ramena à l'instant présent. Elle cligna les yeux, presque surprise de constater qu'elle n'avait pas rêvé — elle se trouvait bien à l'arrière d'une limousine qui traversait Londres en direction de l'ouest.

— Oui, je me rappelle le jour où tu es venue à mon appartement.

— Tu étais avec une femme.

Dimitri acquiesça en silence. Il se souvenait vaguement de la fille en question mais pas de son nom. Des femmes, son passé en était rempli, au point que toutes, dans sa mémoire, finissaient par se ressembler.

Il n'avait pas oublié, en revanche, l'expression outrée d'Erin, et la colère qu'il avait éprouvée quand elle lui avait fait la morale. De quel droit le jugeait-elle ? De quel droit se posait-elle en parangon de vertu ? Et où était sa vertu quand elle avait crié de plaisir sous ses assauts, lui labourant le dos de ses ongles ? Elle était mal placée pour jouer les saintes nitouches.

Mais il avait eu beau se répéter qu'il se moquait bien de son avis, ses critiques l'avaient fait réfléchir. Et il avait eu beaucoup de temps pour cela au cours des mois suivants, pendant qu'il s'efforçait de trouver une assistante digne de la remplacer, une tâche qui s'était révélée presque insurmontable.

— Et ça t'a suffi pour te dissuader de me dire la vérité ? demanda-t-il. Une simple crise de jalousie, parce que tu m'as trouvé avec une autre ?

Erin secoua la tête d'un air de dépit. A l'entendre, elle avait agi sur un coup de sang. Mais la blonde n'était qu'un détail, un révélateur. C'était son mode de vie, l'univers chaotique dans lequel il évoluait, qui l'avait effrayée. Voilà de quoi elle avait voulu protéger son enfant.

— Non, ce n'était pas une simple crise de jalousie. Il n'y avait rien de simple dans ma décision, d'ailleurs. Je ne voulais simplement pas que mon enfant grandisse dans ton environnement.

Dimitri plissa les paupières sur son regard bleu glacier.

— De quel droit te poses-tu en juge et bourreau ?

— Et pourquoi pas ? Personne n'osait te dire la vérité. Les rares fois où ça se produisait, tu n'écoutais pas. Loukas Sarantos a essayé de te mettre en garde à plusieurs reprises avant de démissionner.

Erin fronça les sourcils, prenant soudain conscience d'une autre différence entre le Dimitri d'aujourd'hui et celui d'autrefois.

— Où est ton garde du corps ? Tu ne sortais jamais sans.

— Je n'en ai plus, répondit-il avec un sourire ironique. Surprise, Erin ?

— Un peu, concéda-t-elle. Plus qu'un peu, pour être honnête. Pourquoi ce changement ?

— Après le départ de Loukas, je n'ai trouvé personne que je puisse supporter en permanence. Puis tu es partie à ton tour…

— Et ? demanda-t-elle dans le silence qui s'ensuivit.

Dimitri jeta un regard rapide au flot de la circulation, puis reprit :

— Et j'en ai eu assez d'être harcelé par la presse, de voir tous ces charognards attendre le moment où je basculerais dans l'abîme. J'ai donc décidé d'attaquer le mal à la racine. J'ai arrêté les excès en tous genres et je suis devenu raisonnable.

— Toi ? Raisonnable ?

Son expression dubitative arracha à Dimitri un sourire sans joie.

— Je comprends que tu aies du mal à l'accepter. J'ai pour ma part du mal à t'imaginer en mère.

— Touchée.

Erin soupira — comme elle regrettait de ne pas avoir de lampe d'Aladin pour faire un vœu ! Mais qu'aurait-elle souhaité ? Ne jamais avoir rencontré Dimitri ? Elle n'aurait pas eu Leo dans ce cas, la seule source de bonheur dans sa vie.

— Quel est le programme ? s'enquit-elle d'un ton las.

— Mon chauffeur va me déposer à mon bureau avant de te conduire à l'un des hôtels de l'aéroport. J'ai demandé à Sofia de t'y réserver une suite.

— Un hôtel ? répéta Erin sans comprendre.

— Bien sûr. Nous partons demain matin à la première heure, il est donc logique que tu sois sur place. Et puis, tu n'as nulle part où aller. Tu ne peux pas rentrer chez toi, et tu n'imaginais tout de même pas passer la nuit chez moi ?

Erin rougit jusqu'aux oreilles, d'autant qu'il était dangereusement proche de la vérité. Avait-elle espéré, au fond d'elle-même, qu'il lui proposerait de passer la nuit sous son toit, dans l'une de ses nombreuses chambres d'amis ?

Elle fit de son mieux pour imiter la cruauté de son sourire, et répliqua du même ton :

— Ne sois pas ridicule, Dimitri. Je ne suis pas masochiste.

5.

Erin n'avait pas séjourné dans un hôtel cinq étoiles depuis une éternité, plus exactement depuis l'époque où elle travaillait pour Dimitri, et où le luxe était la norme plutôt que l'exception. Autrefois, elle avait trouvé normal de voyager en première classe, de ne jamais porter ses propres bagages et de voir ses repas servis sous des cloches en argent.

La limousine de Dimitri la déposa au Granchester de Heathrow, un hôtel situé à dix minutes seulement de l'aéroport. Sa suite n'offrait certes pas une vue très excitante sur la campagne environnante mais la salle de bains à elle seule valait le détour. Après s'être déshabillée, Erin s'immergea dans un bain moussant au parfum enivrant et s'y prélassa pendant près d'une heure.

Elle venait de s'emmitoufler dans un épais peignoir lorsque l'on frappa à la porte de sa chambre. Erin alla ouvrir, supposant qu'il s'agissait de la soupe et de la salade qu'elle avait commandées pour dîner. A sa surprise, elle découvrit Sofia, l'assistante de Dimitri, les bras chargés de paquets.

— Dimitri dit que vous aurez besoin de ça, expliqua la jeune femme.

Erin étudia les sacs avec perplexité avant de froncer les sourcils.

— Qu'est-ce que c'est ?

— Des tenues appropriées à un pays moins libéral que le nôtre.

Erin acquiesça et, d'un sourire, invita Sofia à entrer. Il s'agissait sûrement d'une façon polie de lui faire comprendre que ses vêtements n'étaient pas dignes du palais où elle allait passer quelques jours. Toutes ses affaires venaient de boutiques de prêt-à-porter et risquaient de faire mauvaise impression. Dimitri était l'un des hommes les plus riches du monde et ne pouvait pas avoir l'air de payer chichement sa secrétaire.

Sofia tira une robe longue d'un sac frappé de la griffe d'un grand couturier, et Erin ne put retenir un petit soupir d'admiration.

— Comment connaissiez-vous ma taille ? demanda-t-elle après l'avoir plaquée contre elle.

— J'avais une vague idée, au vu de la façon dont mon jean vous allait… ou plutôt, ne vous allait pas. Mais c'est Dimitri qui a deviné, ajouta Sofia avec une expression embarrassée.

Erin eut un rictus narquois. Bien sûr, avec toutes les maîtresses qui défilaient dans son lit, Dimitri devait être capable de déterminer les mensurations d'une femme au centimètre près.

Sofia repartit quelques minutes plus tard. Bien qu'elle n'eût pas faim, Erin se força à avaler son dîner avant de se coucher dans le plus grand lit qu'elle avait jamais vu. Elle avait beau être épuisée par les événements de la journée, elle était incapable de trouver le sommeil, hantée par ce que Dimitri lui avait dit sur son changement de mode de vie. Devait-elle le croire ? Elle avait du mal à le faire — ou alors, elle n'en avait pas envie. Comment un personnage aussi noir pouvait-il se transformer en saint ?

Un silence presque surnaturel régnait dans l'hôtel.

Erin s'éveilla en sursaut — elle n'avait pas conscience de s'être assoupie — d'un rêve où Dimitri la possédait avec une fureur animale. Sur la table de chevet, le réveil indiquait 3 h 15. Avec un soupir, elle prit la télécommande et alluma la télévision. Elle regarda distraitement une chaîne d'information en continu et finit par s'endormir de nouveau, du moins jusqu'au moment où son téléphone sonna à 5 heures du matin.

C'était Sofia, qui lui annonça qu'une voiture l'attendait devant l'hôtel pour la conduire au terminal.

— Et j'espère que… que vous passerez de bonnes vacances au Jazratan, ajouta-t-elle d'un ton hésitant.

« Vacances » était un terme mal choisi, songea Erin une heure plus tard, alors que le jet privé de Dimitri s'arrachait à la grisaille du petit matin pour émerger dans un bleu céruléen au-dessus des nuages. Et elle ne se sentait pas davantage en villégiature quand l'appareil atterrit au Jazratan, huit heures plus tard.

Dimitri et elle s'étaient à peine parlé pendant le vol, ce qui ne l'avait pas empêchée de ressentir sa présence comme une agression. Chaque fois que ses yeux bleus la balayaient, elle avait l'impression d'être nue malgré la robe qui descendait jusqu'à ses chevilles. Elle détestait sentir son corps frissonner dans ces moments-là, comme si son ADN était programmé pour réagir à la présence de cet homme, à l'exclusion de tous les autres.

Elle était tendue à l'extrême quand les portes de l'appareil s'ouvrirent enfin, et sa sensation de détachement ne fit que s'accentuer lorsqu'elle vit la délégation d'hommes en dishdasha qui les attendait au bas de la passerelle. La chaleur et le ciel bleu vif contrastaient tellement avec le climat de Londres qu'elle songea avec culpabilité à Leo — le pauvre n'avait jamais quitté l'Angleterre. Elle se tourna vers Dimitri, le cœur serré.

— Je veux appeler Leo.

— Je comprends, mais il va falloir attendre notre arrivée au palais, murmura son compagnon. Nous devons respecter un minimum de protocole avant que tu ne sortes ton téléphone portable.

Guidée par Dimitri, Erin s'installa dans une limousine avec un sentiment croissant d'irréalité. La climatisation poussée au maximum lui donnait l'impression de voyager dans un réfrigérateur, alors qu'à l'extérieur des bédouins montés sur des chameaux avançaient paresseusement sous d'immenses palmiers. L'horizon de dunes tremblait dans une brume de chaleur.

Sur le côté de la route, les passants s'inclinaient au passage de leur convoi, supposant que leur souverain se trouvait dans l'un des véhicules. Erin aperçut bientôt un imposant palais au bout d'une avenue. Ses portes de bronze s'ouvrirent pour laisser passer la file de voitures, qui traversa des jardins décorés de statues et de fontaines de marbre blanc. Des plantes qu'Erin n'avait jamais vues étaient en pleine floraison, et elle se demanda comment une telle luxuriance était possible en plein désert. Des oiseaux invisibles lançaient des trilles étranges dans les frondaisons, ajoutant à l'exotisme du lieu.

— Excitant, non ? lui souffla Dimitri lorsque leur limousine s'arrêta enfin devant un palais tout droit sorti des *Mille et Une Nuits*.

Elle se tourna pour lui faire face — pourquoi son cœur battait-il si fort ?

— Ce n'est pas l'adjectif que j'emploierais, répondit-elle avec une indifférence calculée. Si j'apprécie de découvrir un pays que je ne connais pas, la perspective de passer deux jours en ta compagnie ne m'emplit pas vraiment de joie.

— Ah bon ? ironisa Dimitri, resserrant sa cravate tout en étudiant les portes du palais. C'est une discussion que j'aimerais poursuivre mais je crois que nous allons devoir la laisser en suspens.

— Pourquoi ?

— Tu vois l'homme en tenue dorée qui s'approche ? Il semble que le cheikh du Jazratan ait décidé de venir nous accueillir en personne.

— Je ne peux pas m'empêcher de remarquer que vous êtes préoccupé, mon ami.

Dimitri sourit au cheikh d'un air entendu — tous deux savaient parfaitement que le titre d'*ami* était vide de sens. Les hommes tels que lui ou Saladin étaient tout simplement trop riches, trop puissants, pour avoir de véritables amis. Et c'était très bien comme ça.

Dimitri baissa les yeux sur le dessert appétissant qu'un serveur venait de déposer devant lui, sourit et reporta son attention sur le souverain au visage d'aigle.

— Préoccupé, moi ?

— Vous avez fixé votre *secrétaire* pendant toute la soirée.

D'un geste calme, Dimitri prit la coupe ornée de joyaux posée devant lui, la porta à ses lèvres et avala une gorgée de jus de grenade frais.

— Le regard d'un homme est toujours attiré par une femme, répondit-il enfin. Surtout lorsque c'est la seule de l'assemblée.

— En effet, répondit Saladin, haussant les sourcils presque à hauteur de son keffieh. Mais ce qui m'étonne, c'est que Mlle Turner ne ressemble pas aux blondes que vous semblez affectionner, à en croire une certaine presse.

Malgré lui, Dimitri se mit à rire.

— Vous me surprenez, Saladin. Je ne pensais pas que vous lisiez les tabloïds.

Le regard du cheikh se durcit presque imperceptiblement lorsqu'il expliqua :

— Je mets un point d'honneur à faire des recherches avant de faire affaire avec quelqu'un. J'aime cerner une personne.

Dimitri reposa sa coupe avec lenteur. Son cœur battait plus vite, comme s'il sentait qu'après des années de négociation la récompense était à portée de main. Mais il chassa toute émotion de sa voix pour répondre :

— Dois-je en déduire que vous avez décidé de me vendre les puits qui m'intéressent ?

Dimitri crut voir une ombre passer sur le visage du souverain, qui sourit presque aussitôt.

— Je préfère ne pas parler affaires pendant les repas. La journée a été longue et votre secrétaire a l'air fatiguée. J'espère que vos quartiers vous conviennent ?

Dimitri se raidit — la remarque était-elle une allusion voilée ? Saladin suspectait-il qu'Erin et lui avaient autrefois été amants, et auraient peut-être préféré une suite commune plutôt que les chambres mitoyennes qui leur avaient été allouées ?

Non, songea-t-il aussitôt, une nuit d'abandon quelques années plus tôt ne faisait pas d'eux des amants. Ce n'était rien d'autre qu'une simple erreur de jugement. Pourtant, il n'avait jamais pu oublier cette nuit, la sensation de chaleur moite autour de son sexe, les hanches minces d'Erin plaquées contre les siennes, ses seins ronds et fermes sous ses mains… Elle était le fruit interdit par définition. Il y avait mordu une fois et ne pouvait en chasser le souvenir de son esprit.

Voyant que Saladin regardait Erin, il éprouva un pincement qui ressemblait fort à de la jalousie. La mère de son enfant était assise entre le prince Khalim du Maraban et l'ambassadeur de l'émirat voisin de

Qurhah. Elle paraissait parfaitement à son aise en leur compagnie, et se comportait avec un naturel confondant.

Il fronça les sourcils, intrigué par cette Erin si différente de celle qu'il connaissait. Elle avait toujours été industrieuse et discrète, une petite souris qui s'affairait en coulisses et que personne ne remarquait jamais tant elle se fondait dans le décor. Contrairement à d'autres membres de son personnel, elle n'avait jamais cherché à assister aux nombreuses soirées et galas auxquels il était invité.

Inconsciemment, il s'était donc imaginé qu'elle ne serait guère à son aise dans un palais où les murs semblaient faits d'or pur. A l'évidence, il s'était trompé. Ce soir, elle dégageait une grâce et une élégance qu'il n'avait jamais remarquées. Ses poignets étaient d'une délicatesse incroyable, nota-t-il lorsqu'elle porta sa coupe à ses lèvres.

Il plissa les yeux, furieux contre lui-même. Que lui arrivait-il ? Pourquoi Erin lui paraissait-elle si… *envoûtante* ? Etait-ce sa robe couleur jade, dont la trame argentée la faisait ressembler à une sirène et magnifiait le vert de ses yeux ? Dimitri se demanda ce qu'elle avait bien pu dire au Qurhahnien, qui venait de renverser la tête et riait à gorge déployée.

Erin dut sentir son regard peser sur elle car elle se tourna soudain vers lui. Dimitri eut l'impression que le reste du monde disparaissait, que le son des couverts et des conversations s'éloignait pour ne laisser que celui de son cœur cognant dans sa poitrine.

Il serra les poings sous la table. Qui aurait cru qu'Erin serait à son aise dans un tel environnement ? Que, malgré la tempête qui l'avait amenée en ces lieux, elle se comporterait avec un tel aplomb ?

Une érection presque douloureuse gonfla son pantalon et il crut voir les tétons d'Erin durcir sous sa robe en réponse — mais sans doute s'agissait-il d'un effet de son imagination. Il prit conscience, avec un tressaillement de stupeur, de son incroyable beauté, et fut pris de regrets à l'idée de lui avoir fait l'amour si brutalement. Une femme comme elle méritait que l'on prenne son temps.

Mais à quoi bon se lamenter sur le passé ? Ce qui était fait était fait. Et ce n'était pas entièrement sa faute s'il s'était laissé emporter. Il ne l'avait embrassée que par curiosité ce soir-là, un peu aussi pour se moquer d'elle. Il ne s'était pas attendu à la sensualité farouche avec laquelle elle avait réagi, ni au désir qui l'avait étourdi quand il avait senti son bassin contre son sexe. Pour la première fois de sa vie, il avait perdu tout contrôle de lui-même. Lui faire l'amour lui avait soudain semblé aussi essentiel, aussi vital que de respirer. Il lui avait arraché sa culotte et s'était perdu en elle avec la rudesse d'un homme des cavernes, aiguillonné par ses soupirs de plaisir.

Les problèmes avaient commencé au petit jour, lorsqu'il avait été confronté à ce regard pur et débordant d'innocence. Saisi d'une sensation de claustrophobie, il avait prétexté un voyage d'affaires en Russie pour s'enfuir, une décision dramatique mais nécessaire. Car Erin lui faisait ressentir des émotions inconnues, des émotions qu'il n'avait pas la moindre envie d'affronter.

Un serviteur retira son dessert, auquel il n'avait pas touché, pour le remplacer par un thé à la menthe. Non sans étonnement, Dimitri se rendit compte qu'il désirait toujours Erin Turner. Il avait hâte que le dîner se termine pour tenter sa chance. Si elle lui cédait, cette fois, il était bien résolu à prendre tout son temps.

Sa raison se rebella aussitôt. Cette femme l'avait trompé. Elle l'avait condamné sans autre forme de procès en décidant de lui cacher l'existence de son fils, sans lui donner la moindre chance de prouver qu'il avait changé. En songeant à une autre femme qui l'avait traité de cette manière, il sentit une rage froide sourdre au plus profond de son cœur.

Se rendant compte que le cheikh avait repris la parole, il s'efforça de lui accorder son attention.

— Vous devez être fatigué après ce long voyage.

— Un peu, concéda Dimitri.

— Dans ce cas, retirons-nous pour la soirée. Les négociations sont toujours plus profitables au petit matin, après une bonne nuit de sommeil et un peu d'exercice. Vous montez à cheval, n'est-ce pas ?

— Bien sûr.

— Dans ce cas, peut-être aimeriez-vous vous joindre à moi tôt demain matin ? J'ai deux étalons qui ont besoin d'une main ferme.

Dimitri fit de son mieux pour retenir son irritation tant il voulait en arriver au fait — les négociations mêmes. Il acquiesça, non sans raideur.

— J'en serais ravi mais je n'ai pas apporté de tenue d'équitation.

— Aucune importance. J'ai tout ce qu'il faut. Nous faisons la même taille, je crois. Retrouvons-nous à 8 heures, avant que le soleil soit trop haut dans le ciel. D'ici là, je vous souhaite une bonne nuit.

Tout le monde se tut quand le souverain se leva et disparut, suivi d'une file de serviteurs. Lorsque les conversations reprirent, Dimitri contourna la table et s'approcha d'Erin. Elle riait à quelque chose que l'ambassadeur venait de dire et celui-ci referma une main possessive sur son bras. La jeune femme, nota-t-il, s'assombrit presque imperceptiblement avant de lui offrir son plus charmant sourire.

— Oui, Dimitri ?

— La journée a été longue, *zvezda moya*. Suivons

l'exemple du cheikh et retirons-nous. Nous avons du travail en perspective, demain.

Erin acquiesça et se tourna pour souhaiter bonne nuit à l'ambassadeur du Qurhah, qui l'avait régalée d'anecdotes fascinantes sur la vie dans le désert. Jamais elle n'aurait deviné que l'un des meilleurs remèdes contre la soif consistait à sucer un caillou, ou que les cactus possédaient de telles vertus médicinales. Elle répugnait presque à regagner sa chambre mais elle ne pouvait pas passer la nuit à table sous prétexte qu'elle avait peur de se retrouver seule avec Dimitri — surtout après les regards qu'il lui avait lancés durant le dîner.

Le pire, c'était que son corps avait réagi à cet examen. Elle avait eu beau essayer de se raisonner, elle avait fini par admettre l'évidence : elle le désirait avec la même violence qu'autrefois.

Elle marcha avec raideur à ses côtés, faisant de son mieux pour se concentrer sur leur environnement plutôt que sur lui. Ce n'était pas chose facile, car il dégageait une aura de sensualité presque palpable — ou peut-être se l'imaginait-elle, après le regard avide qu'il avait posé sur elle pendant le repas ? Imaginaire ou pas, son corps réagissait sans intention consciente de sa part. Ses seins pointaient presque douloureusement et une chaleur révélatrice envahissait son intimité.

Elle déglutit avec peine, horrifiée par sa propre faiblesse. Elle ne devait surtout pas céder à l'appel muet qu'elle avait lu dans les yeux de Dimitri. Coucher avec lui affaiblirait sa position dans les négociations à venir, et elle ne pouvait pas se le permettre. Elle devait être forte, au moins pour son fils.

D'accord, Dimitri semblait s'être amendé. Mais ce n'était pas parce qu'il ne s'adonnait plus au jeu et à la boisson que son attitude vis-à-vis des femmes avait changé. *Rappelle-toi la façon dont il t'a traitée.* Erin ne s'était jamais attendue à de grandes déclarations d'amour sur fond de violons mais, après leur nuit ensemble, c'était tout juste s'il avait pu la regarder dans les yeux. Il avait ensuite agi comme si rien ne s'était passé.

Ils progressèrent sans bruit dans les longs couloirs de marbre en direction de leurs chambres. La beauté de l'architecture et des fontaines dans les cours intérieures laissait Erin indifférente, tout comme les lampes de fer forgé qui projetaient des ombres dansantes sur les murs de marbre. Sans raison, elle pensa à son fils. Que faisait-il en ce moment ? Etait-il l'heure de son bain ? De son verre de lait chaud avant de se coucher ? Elle se représenta ses yeux bleus et innocents — ils ressemblaient tant à ceux de son père ! A ceci près que ce dernier n'avait jamais eu la moindre innocence.

Ils atteignirent enfin la chambre d'Erin. Elle poussa la porte, le cœur battant, et fut accueillie par des effluves de roses.

— Bonne nuit, murmura-t-elle d'une voix étranglée.

Dimitri sourit, comme s'il savait exactement ce qu'elle ressentait. Il était si proche qu'elle n'avait qu'à se pencher pour l'embrasser. *Rentre dans ta chambre,* lui cria une petite voix. *Ferme la porte avant qu'il ne soit trop tard.* Mais ses semelles restèrent collées au sol.

Dimitri étudiait la jeune femme qui se tenait devant lui, troublé par les signaux contradictoires qu'elle lui envoyait et conscient de sa propre confusion. Il s'efforça de se rappeler ses mensonges, qui n'étaient pas si différents de ceux de sa chère mère. Mais le désir qui pulsait en lui était bien plus fort que la prudence. Il avait beau détester ce qu'il s'apprêtait à faire, il ne pouvait tout simplement pas s'en empêcher.

— Tu es très belle, ce soir…

Erin parut déroutée, comme si elle n'était pas habituée à recevoir ce genre de compliment.

— Merci, répondit-elle enfin. C'est grâce à Sofia. C'est elle qui a choisi cette robe. Elle a très bon goût.

— Je ne veux pas parler des goûts de Sofia.

— Non, moi non plus.

Erin bâilla un peu trop ostensiblement avant d'ajouter :

— Bon, il est tard, je crois que je vais aller me coucher…

— Tu es sûre ?

— Sûre de quoi ? D'aller me coucher ?

— De savoir ce que tu veux.

Du bout des doigts, il lui caressa la joue. A sa satisfaction, elle frissonna violemment.

— Tu vois, tu trembles quand je te touche.

— Peut-être que j'ai froid.

— En plein désert ?

— Dimitri, murmura-t-elle, ne fais pas ça.

— Ne fais pas quoi ? Tu as envie de moi autant que j'ai envie de toi. Je pense que tu es sur le point de m'embrasser, et je t'assure que j'en serai ravi. J'ai cru que je n'allais pas tenir jusqu'à la fin du dîner. J'ai eu du mal à me concentrer sur ce que disait le cheikh…

Ses mots la désarmèrent, mais ce fut ses yeux qui eurent raison de la résistance d'Erin. Sans savoir comment, elle se retrouva dans ses bras, leurs souffles haletants mêlés en un baiser torride. Sous l'effet du plaisir, Erin laissa échapper un gémissement qui dut rappeler à Dimitri où ils se trouvaient — un pays bien plus puritain que le leur — car il la poussa à l'intérieur de la chambre avant de refermer la porte d'un coup de talon.

Sa raison implora une dernière fois Erin de le repousser avant qu'il ne soit trop tard, mais elle ignora l'avertissement. Nouant ses bras derrière la nuque de son compagnon, elle se plaqua plus étroitement contre lui et approfondit leur baiser. Il avait raison, songeat-elle pendant que sa langue enveloppait la sienne :

elle avait toujours envie de lui. Elle avait rêvé de ce baiser pendant des années, au cours de longues nuits sans sommeil durant sa grossesse, puis pendant que son fils grandissait sans connaître son père. La force de Dimitri, sa sensualité lui avaient manqué.

Elle se consumait à présent entre ses bras, emportée par un élan qui dépassait largement la simple attirance sexuelle. Leurs corps s'étaient autrefois mêlés et avaient fusionné pour créer un être nouveau, un enfant qui leur ressemblait à tous les deux. Cette intimité donnait des ailes à leur désir.

Les mains de Dimitri couraient sur son corps, explorant les ondulations de ses hanches et de sa taille. Il gronda de plaisir quand elle frotta son bassin contre son érection, à laquelle répondit un flot de lave entre les jambes d'Erin. Sans cesser de l'embrasser, il couvrit l'un de ses seins et fit rouler sa pointe à travers sa robe, entre son pouce et son index. Erin dut faire appel à toute sa volonté pour ne pas jouir sur-le-champ. Encore quelques minutes et il la déshabillerait… Ses lèvres lui rendraient le plus sensuel des hommages et, comme la dernière fois, elle exploserait dans un orgasme extraordinaire…

Elle n'aurait su dire pourquoi — un dernier sursaut de son instinct de survie, peut-être — mais elle vit soudain sous une lumière crue ce qu'elle était en train de faire, comme si elle assistait à la scène en spectatrice. Une nouvelle fois, elle laissait Dimitri se servir d'elle. Il l'avait habillée comme une poupée pour le dîner, où elle avait joué sans sourciller le rôle qu'il lui avait attribué. Même maintenant, il la traitait comme un objet, un simple jouet avec lequel il pouvait s'amuser sans la moindre conséquence. Elle n'était qu'une boule d'argile qu'il modelait à sa guise, sans s'imaginer un instant qu'elle avait des sentiments.

S'arrachant à ses bras, elle appuya des deux mains sur son torse et le repoussa de toutes ses forces. Dimitri la dévisagea, visiblement ahuri.

— Qu'est-ce qui ne va pas ?

Erin fit un pas en arrière pour s'éloigner de la tentation qu'il représentait. Son pouls faisait rage et son visage la brûlait.

— Tu me demandes ce qui ne va pas ? Tu es sérieux ? Tu penses vraiment que tu peux débarquer dans ma vie, la bouleverser, et t'attendre à ce que je te cède juste parce que tu claques des doigts ?

— Tu as envie de moi.

Il avait parlé avec calme, de la même voix qu'il aurait prise pour faire valoir que le ciel était bleu. La colère qu'Erin sentait bouillonner en elle entra alors en éruption.

— Oh oui, j'ai envie de toi ! Mon corps est peut-être programmé pour réagir d'une certaine façon à ta présence, mais ça ne veut pas dire que je vais obéir à mes hormones. Et tu sais pourquoi ? Parce que tu n'as aucun respect pour les femmes, Dimitri. Tu te sers de ton charisme pour les convaincre de coucher avec toi, sans te soucier des dégâts que tu fais au passage. Tu t'es servi de moi cette nuit-là, puis tu m'as jetée comme une moins que rien !

Elle secoua la tête, luttant pour faire entrer de l'oxygène dans ses poumons malgré l'étau invisible qui lui broyait la poitrine.

— J'ai d'abord cru que ma sœur m'avait trahie en prenant contact avec toi. Mais je comprends maintenant qu'elle a bien fait. Tu as raison sur un point : Leo mérite de connaître son père. Mais ça ne veut pas dire que je vais redevenir ton jouet. Nous avons couché ensemble et nous nous sommes mis d'accord pour dire que c'était une erreur. Je n'ai pas l'intention de la répéter.

— Erin…

— Non ! Il n'y a pas de « Erin » qui vaille, Dimitri. Tu ne me feras pas changer d'avis.

D'un geste furieux, elle repoussa une mèche de cheveux qui lui tombait sur le visage. Dimitri paraissait chercher ses mots et elle en profita pour enchaîner :

— Puisque nous sommes là, nous allons nous en tenir au plan initial. Je ferai semblant d'être ta secrétaire, après quoi nous discuterons calmement de l'avenir de notre fils. Mais pour la dernière fois, je n'ai pas l'intention de faire l'amour avec toi. Ni maintenant ni jamais ! Mets-toi bien ça dans la tête.

6.

Dimitri était meurtri, *physiquement* meurtri. Son sang, dans ses veines, bouillait sous l'effet de la frustration. La soirée avait fini d'une façon complètement inattendue, par l'humiliation que lui avait infligée Erin en se refusant à lui alors qu'elle mourait d'envie qu'il la possède.

Quand une femme l'avait-elle traité de cette manière pour la dernière fois ? La réponse était simple : jamais !

Grinçant des dents, il se dirigea vers les fenêtres ouvertes sur la nuit. En l'absence de pollution lumineuse, les étoiles brillaient tels des diamants sur le velours noir du ciel. Le parfum floral qui montait des jardins se mêlait à celui des pétales de roses disséminés dans sa chambre. Deux heures s'étaient écoulées depuis qu'Erin lui avait claqué la porte au nez mais il était incapable de trouver le sommeil.

Autrefois, il se serait servi quelques verres de vodka pour chasser son malaise et neutraliser ses hormones. En ville, il aurait peut-être appelé un taxi pour se rendre au casino le plus proche et y jouer jusqu'au petit jour. Mais il n'avait pas bu un verre d'alcool ou joué au poker depuis sept ans. Aucun de ces deux vices ne lui avait manqué.

Jusqu'à ce soir.

Ce soir, l'ivresse lui manquait. Il aurait tout donné pour

ne plus penser aux accusations qu'Erin avait lancées, ou pour comprendre pourquoi elles lui faisaient si mal.

Parce qu'elles étaient vraies, peut-être ?

Au-dessus de sa tête, une étoile filante dessina un trait vif-argent avant de disparaître. Avait-il traité la jeune femme comme un objet en la chassant de son appartement après lui avoir fait l'amour ? Ou avait-il simplement essayé de la protéger de l'homme qu'il était ? Il n'avait pas voulu entraîner Erin dans son monde. Il lui avait suffi d'un regard pour comprendre qu'il ne pouvait pas voler davantage de son innocence. Elle méritait bien mieux que lui.

Il s'était donc convaincu qu'il lui rendait service en la traitant de manière froide et détachée. Leur relation n'aurait jamais dû quitter la sphère professionnelle et c'était le message qu'il avait essayé de lui faire passer. Voilà pourquoi il avait quitté le pays, pour lui faire comprendre que cette erreur ne se reproduirait pas. Plus tard, après qu'elle l'eut surpris avec la blonde, Dimitri avait supposé que sa démission était motivée par la jalousie. A bien des égards, il avait été plus facile de la laisser partir. Au moins, s'il ne la voyait plus, il pourrait enfin oublier leur nuit de plaisir.

Ce n'était qu'après son départ qu'il avait pris conscience de l'étendue des dégâts. Aucune secrétaire qu'il avait employée depuis n'était arrivée à sa hauteur. Elle lui avait été d'une aide précieuse, même s'il avait parfois eu l'impression de lire du reproche dans son regard de chat. Il lui avait donné accès à sa vie privée, et n'avait jamais eu envie d'elle avant cette fameuse nuit. Erin avait en quelque sorte fait partie des meubles, aussi fiable et immuable que la tasse de café noir qu'elle posait sur son bureau tous les matins. Il parlait souvent de ses dossiers avec elle et, à plusieurs reprises, avait suivi ses conseils avisés. C'était fou, mais il avait presque oublié qu'elle était une femme, jusqu'au soir où il l'avait trouvée devant sa porte. Et soudain, sans raison, il avait été frappé de plein fouet…

L'aube explosa, colorant le ciel d'un rose vif qui vira bientôt au doré, puis à l'ambre. Il songea à la jeune femme qui dormait à quelques mètres de là, derrière la porte de communication de leurs chambres. Son esprit s'envola ensuite loin du Jazratan, pour la rue de Londres où il avait vu son fils courir en riant. Une émotion inconnue de lui jusqu'alors lui serra le cœur.

Il se doucha et se rasa, mais Erin n'était toujours pas levée quand un serviteur frappa à sa porte pour lui tendre une tenue complète d'équitation. Quelques minutes plus tard, il émergea de son dressing tout habillé et trouva la jeune femme qui l'attendait dans sa suite — elle avait dû entrer pendant qu'il se changeait. Debout devant la fenêtre, elle était baignée d'un halo doré par la lumière du petit matin. Elle portait une robe longue, tenue traditionnelle qui soulignait sa silhouette gracile au lieu de la dissimuler.

Erin pivota en l'entendant entrer. Même si son visage était impassible, Dimitri vit un éclat fugace embraser son regard. Non sans exaspération, il sentit son propre corps réagir à sa présence et réprima impitoyablement un début d'érection. Dans la lumière claire du petit matin, il lui était plus facile de contrôler le désir qui l'avait empêché de dormir.

— Je vois que tu es levée, observa-t-il poliment. Tu as bien dormi ?

Erin se força à affronter son regard malgré la confusion qui s'était emparée d'elle. Elle s'était attendue à une conversation gênante, après les événements de la veille, et s'y était préparée. Mais l'expression de Dimitri lui fit comprendre qu'elle s'était trompée et ses craintes de devoir repousser de nouveau ses avances lui parurent tout à coup ridicules.

Le spectacle de Dimitri en tenue d'équitation, pour couronner le tout, avait fait oublier à Erin ses bonnes résolutions dès qu'elle avait posé les yeux sur lui. Pourquoi fallait-il qu'il fût aussi sexy ? Son jodhpur soulignait ses cuisses puissantes et moulait ses fesses comme une seconde peau. Des bottes noires et une chemise blanche complétaient l'ensemble, et Erin sentit sa gorge s'assécher. Cet homme était un fantasme ambulant. Dire qu'elle avait repoussé ses avances… Avait-elle bien fait ? Elle n'en était plus très sûre.

Cette fois, c'était officiel, elle devenait folle !

Rouge d'embarras, elle s'éclaircit la gorge avant de demander :

— Que… Qu'est-ce que tu fais ?

— Ça ne se voit pas ? Je m'apprête à faire un peu de cheval avec le cheikh.

— Tu ne m'en as pas parlé hier soir.

— Pourquoi l'aurais-je fait ? J'ai besoin de ta permission, maintenant ?

— Ne sois pas ridicule, répondit Erin, incapable de réprimer l'inquiétude qu'elle éprouvait pour lui. Quand es-tu monté à cheval pour la dernière fois ?

— Pourquoi ?

Elle haussa les épaules, s'efforçant de lui cacher la peur qui montait en elle. Dimitri était différent de l'homme d'autrefois, celui qui ne dormait jamais, qui se nourrissait de vodka et ne s'amusait que lorsqu'il prenait des risques. Mais il avait beau avoir abandonné l'alcool, son appétit pour le danger semblait intact. Il se croyait invulnérable et, jusqu'à présent, les faits lui avaient donné raison.

Elle l'étudia en silence, furieuse des sentiments qu'il éveillait en elle. Elle ne voulait plus s'inquiéter pour lui.

Elle l'avait fait bien assez, et cette époque était révolue. Mais quelque chose la força à s'exprimer. Etait-ce pour Leo, parce qu'elle ne voulait pas qu'il arrive quoi que ce soit à son père ? Ou pour elle ?

— C'est dangereux, déclara-t-elle.

— Seulement si tu ne sais pas ce que tu fais, ce qui n'est pas mon cas. Je suis très bon cavalier. J'ai appris quand j'étais dans l'armée. Nous montions des donskayas, les chevaux des cosaques. Je ne suis pas casse-cou et je respecte profondément ma monture. Crois-le ou non, mais je n'ai pas que des défauts. Même si tu semblais décidée à en dresser la liste exhaustive hier soir…

Erin se mordit la lèvre, gênée. Peut-être s'était-elle montrée un peu injuste en lui lançant certaines accusations au visage.

— Justement, à propos de ça…

— J'avais sans doute besoin de l'entendre, coupa Dimitri contre toute attente. L'essentiel de ce que tu as dit était vrai. Je te dois des excuses.

Erin le dévisagea, abasourdie. La contrition n'était pas une qualité qu'elle s'était attendue à trouver chez Dimitri.

— Oh ! murmura-t-elle sans pouvoir dissimuler tout à fait sa surprise. Très bien.

— J'ai compris que tu ne voulais plus partager mon lit, Erin. Je l'accepte. Tout bien considéré, je crois que c'est plus sage.

Plus déroutée encore, elle bredouilla :

— Vraiment ?

— Oui. Ce qui s'est passé la nuit dernière… c'était ma faute. Je n'aurais pas dû. Et tu as bien fait de m'arrêter. Une relation physique ne peut que créer des tensions dans un couple, surtout quand elle prend fin. Leo mérite mieux que des parents qui se disputent.

— C'est bizarre. A t'entendre…

Un regard bleu transperça Erin quand elle s'interrompit.

— Oui ?

Elle haussa les épaules, ne sachant comment formuler ses pensées sans mettre en péril cette trêve fragile. Mais peut-être devait-elle profiter du fait qu'il était prêt à reconnaître ses erreurs et à parler à cœur ouvert. S'ils devaient envisager un avenir commun, autant se montrer honnêtes l'un envers l'autre.

— On dirait que tu penses que toute relation physique est vouée à prendre fin, acheva-t-elle.

— J'en suis persuadé, en effet. Ou si ce genre de relation survit, c'est qu'un partenaire est infidèle, ou les deux. Pas la peine de me regarder de cet air réprobateur, Erin. Je suis peut-être cynique, mais je ne l'ai jamais caché. Et tu me connais mieux que quiconque, alors ne fais pas cette tête.

— C'est vrai, je te connais bien. C'est juste que je n'ai jamais compris ce qui expliquait un tel cynisme.

— Ce n'est pas sorcier. On dit bien que la première relation dont une personne est témoin sert de modèle au reste de sa vie, non ?

— Tu veux dire que tes parents n'étaient pas heureux ?

— C'est ce que je veux dire.

Puis il enchaîna avec une question, comme s'il n'avait pas envie de s'attarder sur le sujet.

— Je suppose que ta propre enfance a été un conte de fées ?

— Disons que c'est ce que mes parents espéraient, répondit Erin avec un demi-sourire. Mais ça ne s'est pas exactement passé comme ça, à cause en grande partie d'un manque d'argent chronique.

— Je croyais que l'argent ne faisait pas le bonheur ? ironisa Dimitri.

— Certes. Mais mes parents, vois-tu, étaient d'incorrigibles romantiques. Ils ont passé leur vie à écouter leur cœur et à ignorer leur raison.

— Ils sont toujours en vie ?

— Oui. Ils sont en Australie, où ils ont émigré après avoir vu un documentaire sur l'élevage d'autruches. Ils se sont dit qu'ils allaient tenter leur chance, séduits par la perspective d'être plus proches de la nature, et sans songer un seul instant qu'on ne s'improvisait pas éleveur.

— Que s'est-il passé ?

— Ce que tout le monde leur a dit qu'il se passerait. Ils ont investi toutes leurs économies dans leur ferme et ont tout perdu. Après cela, ma mère a décidé de se lancer dans la création de bijoux. Ils font les marchés et habitent dans un camping-car. Ils arrivent tout juste à joindre les deux bouts.

— Et que pensent ces deux incorrigibles romantiques de Leo ? demanda Dimitri après quelques instants de silence. Sont-ils proches de leur petit-fils ?

— Pas vraiment, mais c'est surtout dû à l'éloignement géographique. Nous nous écrivons et nous parlons une fois par semaine via Internet, mais ce n'est pas la même chose… Ils n'ont pas les moyens de venir en Angleterre et je n'ai pu m'offrir le voyage qu'une fois. C'est pour ça que…

Elle s'interrompit, mais Dimitri hocha la tête et acheva à sa place :

— C'est pour ça que tu as voulu épouser Chico. Pour pouvoir voir tes parents.

— Oui, concéda-t-elle, surprise par sa perspicacité. Je pensais que ça leur ferait plaisir mais…

— Mais ?

Erin haussa les épaules. Si cet intérêt inattendu pour sa vie privée était plaisant, il la poussait également à une introspection qu'elle préférait éviter. Ses parents avaient toujours espéré que leurs filles se marieraient par amour. Le problème, c'était que l'amour, elle n'y croyait plus. Il rendait ses victimes stupides et altérait leur jugement. Il les lançait à la poursuite de chimères, parfois jusqu'au bout du monde.

Autrefois, oui, elle y avait cru. Comme bien d'autres, elle avait été séduite par les promesses de Cupidon. Elle avait laissé ses sentiments pour son patron grandir jusqu'à l'emporter. Et quand elle s'en était aperçue, quand elle avait compris à quel point elle s'était fourvoyée, c'était trop tard. D'un revers de la main, Dimitri avait balayé à jamais ses illusions. Elle avait fait le vœu, lorsqu'elle était rentrée chez elle au petit matin, de ne jamais devenir comme ses parents.

Elle secoua la tête, un sourire amer aux lèvres.

— Mes parents s'imaginent qu'on ne devrait pas concevoir d'enfant hors mariage. C'est ridicule, je sais, mais c'est comme ça. Ils sont romantiques et pas moi.

— Pas toi ? répéta Dimitri. Pourquoi ?

— Parce que j'ai vu trop de gens souffrir sous prétexte qu'ils croyaient en l'amour. C'est juste un joli mot qu'on colle sur le désir pour le rendre plus acceptable. Qui a l'air choqué, maintenant ? Pourquoi fais-tu une tête pareille ? Tu penses que les femmes sont programmées pour s'abandonner corps et âme aux hommes ?

Dimitri sourit mais ne mordit pas à l'hameçon.

— Pour en revenir à tes parents, savent-ils que je suis le père de Leo ?

— Non. Personne n'est au courant à l'exception de Tara.

— Pourquoi un tel secret ? Tu aurais pu parler à la presse et toucher un joli pactole. Ça t'aurait évité de devoir recourir à un mariage blanc.

— Je ne ferais jamais une chose pareille, répondit Erin d'un air méprisant. Je refuse d'infliger ce genre de publicité à Leo.

— Mais il y avait une autre raison à ta discrétion, n'est-ce pas ? fit Dimitri en lui jetant un regard en coin. Tu savais que si tu parlais à la presse, j'apprendrais la nouvelle. Et tu ne voulais pas prendre ce risque.

Erin le fixa longuement, laissant le silence s'installer entre eux. Elle ne pouvait pas ignorer la douleur qui brûlait dans le regard de son compagnon. Un nouvel accès de culpabilité s'empara d'elle.

— Tu as raison, murmura-t-elle d'une voix à peine audible. Je n'aurais pas dû te cacher son existence.

— C'est du passé, répondit sèchement Dimitri.

Il releva sa manche pour regarder sa montre et enchaîna :

— Il est presque 8 heures. Tu viens me voir monter ?

Erin hésita — leur conversation l'avait profondément troublée — mais qu'allait-elle faire si elle ne l'accompagnait pas ? Se morfondre dans sa suite ? Prendre son petit déjeuner seule, sous le regard impassible de dizaines de serviteurs ?

— Seulement si tu promets de ne pas prendre de risques inconsidérés.

— Ah ! Tu te fais donc du souci pour moi !

— Seulement parce que tu vas rencontrer Leo, et que je préfère que tu sois en un seul morceau.

L'arrivée d'un domestique mit fin à leur discussion. L'homme les conduisit par une série de longs couloirs jusqu'aux écuries situées à l'est du palais. Il faisait déjà chaud et deux étalons — l'un noir, l'autre palomino — attendaient dans la cour devant le bâtiment. Ils étaient d'une élégance à couper le souffle, leur robe luisante parcourue de tremblements d'impatience. Le cheikh apparut bientôt, suivi de son entourage habituel et vêtu d'une longue tunique qui paraissait fort peu adaptée à la pratique de l'équitation.

Dimitri se dirigea vers les chevaux. Erin, malgré

ses efforts, ne put rester indifférente à la grâce féline de sa démarche, ou à la façon dont le soleil matinal embrasait ses cheveux blonds. Il enfourcha le palomino, le souverain le cheval noir, et tous deux échangèrent quelques mots avant de se serrer la main en souriant. Elle eut à peine le temps de se demander ce qu'ils s'étaient dit que tous deux trottèrent en direction du champ de courses voisin des écuries. Imitant les serviteurs, Erin s'approcha de la barrière pour ne pas les perdre de vue. Dimitri jaugeait le caractère de sa monture en lui faisant effectuer de petits cercles sur place et elle sentit un frisson d'appréhension la parcourir. Malgré son laïus sur son expérience dans l'armée, il n'avait pas répondu à sa question : quand était-il monté à cheval pour la dernière fois ?

Les deux hommes se penchèrent de nouveau l'un vers l'autre pour discuter. Un sourire d'excitation étira les lèvres de Dimitri — une expression qu'Erin ne connaissait que trop. Il arborait la même chaque fois qu'il s'apprêtait à signer un contrat, ou à tout miser sur une table de jeu. C'était le Dimitri d'autrefois, l'homme accro au danger, et elle se pétrifia en tentant d'imaginer ce qu'avaient pu se dire les deux hommes. Tout ce qu'elle savait, c'est que le cheikh lui avait lancé un défi, et qu'il l'avait relevé. Puis elle comprit.

Cet idiot va faire la course avec l'un des meilleurs cavaliers du monde !

La première réaction d'Erin fut la colère. Ne lui avait-il pas juré qu'il avait changé ? Il avait affirmé être devenu raisonnable et elle ne l'avait pas cru. Elle savait maintenant pourquoi — parce que ce n'était pas vrai ! Un homme raisonnable ne faisait pas la course sur un pur-sang inconnu, alors qu'il n'avait sans doute plus d'entraînement depuis des années. Un homme raisonnable ne mettait pas sa vie en jeu pour un pari stupide, avant même d'avoir rencontré son fils. Elle aurait voulu franchir la barrière pour l'arrêter et se surprit à faire un pas dans sa direction. Dieu merci, sa raison l'emporta. Elle n'avait pas la moindre chance de dissuader les deux hommes et elle ne voulait pas risquer un incident diplomatique.

Ils s'alignèrent enfin sur la ligne de départ. Les chevaux tiraient sur leur mors avec impatience et bondirent lorsque les cavaliers, après avoir échangé un regard, leur lâchèrent la bride. Le cheikh prit rapidement une longueur d'avance, et Erin crut un instant que Dimitri allait se montrer prudent et le laisser gagner.

Mais un tel acte allait à l'encontre de son caractère. Il serra les flancs de la monture entre ses cuisses puissantes, la poussant sans violence à accélérer. Le palomino obéit comme s'il n'avait attendu que cet instant. Il rattrapa son retard et Dimitri se retrouva bientôt au coude à coude avec le souverain. Ils négocièrent le premier virage dans un tonnerre de sabots et se lancèrent tête baissée dans la ligne droite qui s'ouvrait devant eux.

L'estomac noué, Erin vit le cheikh enrouler les rênes autour de ses poings. Les deux hommes étaient euphoriques, ivres d'excitation. Les serviteurs, autour d'elle, lancèrent des encouragements à leur souverain et s'approchèrent de la ligne d'arrivée — le vainqueur allait gagner d'une courte tête.

Ils étaient presque sur la ligne quand le cheval noir se cabra, apparemment effrayé par quelque chose. Horrifiée, Erin vit le cheikh glisser sur le côté, comme au ralenti. Elle crut qu'il allait disparaître sous les sabots de l'animal furieux mais Dimitri se rapprocha soudain et, elle ne sut comment, aida son rival à se redresser. Saisissant la bride de l'étalon, il parvint à forcer leurs montures à s'arrêter.

Erin s'affaissa sur la barrière, les jambes tremblantes.

Mais son soulagement tourna à l'angoisse lorsqu'elle vit une expression de douleur passer sur le visage de Dimitri, qui tenait toujours le cheikh à bout de bras.

Puis un chaos indescriptible de gardes du corps, de domestiques et de palefreniers paniqués déroba les deux hommes à sa vue.

7.

— Je n'ai jamais rien vu d'aussi imprudent ! fit Erin d'une voix qui tremblait encore d'un mélange de colère et de peur rétrospective. Ou de si… *stupide*. Tiens, bois ça.

Allongé sur le canapé, Dimitri prit la coupe dorée qu'elle lui tendait — un mouvement qui lui arracha une grimace de douleur.

— Qu'est-ce que c'est ?

— Seulement de l'eau. C'est bon pour toi. Je suppose donc que tu n'en veux pas ?

— Tu es fâchée ?

— Bien sûr que je suis fâchée !

Et encore, songea Erin, le mot décrivait mal le flot d'émotions qui faisait rage en elle. Elle serra les dents pour étudier le visage blême de son compagnon.

— Tu aurais pu mourir !

— Mais je suis vivant.

— Ce n'est pas la question et tu le sais très bien.

Ils étaient enfin de retour au palais après un incident qui avait secoué ses protagonistes autant que ses spectateurs. L'émoi général était bien compréhensible — les événements avaient été à deux doigts de virer au drame. L'ironie de l'affaire, c'était que le cheikh s'en était tiré sans une égratignure. Dimitri, en revanche, avait eu du mal à descendre de son cheval. Un examen à l'hôpital voisin les avait rassurés — il ne souffrait que d'hématomes sans gravité. Les médecins lui avaient conseillé de se reposer.

Erin, qui ne l'avait pas quitté d'une semelle, l'avait raccompagné jusqu'à sa suite. Saladin était arrivé peu après, toujours vêtu de sa tunique d'équitation et couvert de poussière. Bien qu'encore sous le choc, il avait fait preuve d'une gratitude sincère.

— Je vous suis redevable, avait-il dit à voix basse. Je vous dois la vie. Vous comprenez, mon ami ?

Puis il avait étreint Dimitri — lequel avait fait de son mieux pour ne pas gémir de douleur — avant de disparaître avec son entourage aussi soudainement qu'il était apparu.

— Tu m'as dit que tu étais devenu raisonnable, fit valoir Erin en l'aidant à boire une nouvelle gorgée d'eau. Tu m'as juré que tu avais changé, que tu ne buvais plus…

— C'est la vérité.

— … et que tu ne prenais plus de risques inconsidérés.

— Là encore, c'est vrai.

— Oh, vraiment ? Comment appelles-tu la petite démonstration que tu nous as offerte ce matin ? Depuis combien de temps n'étais-tu pas monté sur un cheval ?

— Je ne m'en souviens pas, répondit Dimitri avec un haussement d'épaules.

— Qu'est-ce qui t'a fait croire, dans ce cas, que tu pourrais rivaliser avec un cavalier aussi accompli que le cheikh ? Et que tu pourrais gagner ?

— *J'ai* gagné.

Erin le fusilla du regard, irritée par son arrogance.

— Parce que le cheikh a failli tomber !

— Exactement. Et si je ne m'étais pas arrêté pour l'aider, j'aurais remporté la course. Nous le savons tous les deux.

— Tu n'as pas répondu à ma question : pourquoi avoir accepté ce défi ?

— Parce que j'en avais envie, répondit le Russe avec impatience. Et parce que je m'apprête à conclure un contrat avec le cheikh. Refuser aurait pu être perçu comme un signe de faiblesse et remettre en cause nos négociations.

— Tes affaires sont donc plus importantes que ta vie ?

L'expression de Dimitri se durcit comme il répondait :

— Mes affaires sont importantes, oui. Mon succès est quantifiable, contrairement à beaucoup de choses dans la vie.

Au même instant, quelques coups discrets se firent entendre à la porte de la suite. Erin traversa le salon pour aller ouvrir, agacée par cette interruption. Que leur voulait-on maintenant ? Ne pouvaient-ils pas être un peu tranquilles ?

A sa surprise, une femme qui se tenait sur le seuil — l'une des rares qu'elle avait vues depuis son arrivée au Jazratan. Petite et mince, le bas du visage couvert d'un voile argenté transparent qui soulignait ses yeux de biche, elle tenait un petit pot de terre contre sa poitrine. Plus étonnant encore, la nouvelle venue souriait d'un air confiant et ne paraissait pas le moins du monde intimidée.

— C'est le cheikh qui m'envoie, dit-elle d'une voix évoquant le murmure d'une fontaine. Je viens administrer des soins au héros qui a sauvé notre souverain.

Instinctivement, Erin se hérissa. Imaginait-elle l'étincelle d'impatience qui pétillait dans les yeux de la jeune femme lorsqu'elle vit Dimitri allongé sur le canapé ? Elle aurait juré que non.

— Quel genre de soins voulez-vous lui « administrer » ?

Sans cesser de sourire, l'autre lui présenta son pot d'argile.

— C'est un onguent à base de baies de feu. Elles sont

très rares et ne se trouvent que sur les contreforts des montagnes au nord de notre pays. Lorsque j'en aurai appliqué sur les blessures du sauveur de notre cheikh, la douleur et les bleus disparaîtront comme par magie.

Erin n'aurait su dire s'il s'agissait de paranoïa ou d'un instinct possessif, mais une chose était sûre : elle ne laisserait pas une créature aussi séduisante étaler de la crème sur le torse de Dimitri. Cette fille était-elle un « remerciement » envoyé par le souverain ? Dans un royaume où les femmes étaient presque invisibles, elle n'en aurait pas été surprise.

Avec un sourire froid, elle prit le pot des mains de la jeune femme.

— Merci. Veuillez remercier Son Altesse Royale de notre part. Je pense que Dimitri préfère que je lui « administre » ces soins moi-même.

Elle referma la porte sur le visage médusé de la servante. Lorsqu'elle se retourna, Dimitri arborait un sourire narquois qu'il dissimula aussitôt derrière une grimace.

— Tu vas vraiment appliquer ce baume toi-même ? dit-il en la voyant s'approcher. Tu ne plaisantais pas ?

— Oui, c'est ce que je vais faire et non, je ne plaisantais pas.

— Sois douce avec moi, Erin.

— Pourquoi ne le serais-je pas ?

— Ton expression suggère le contraire de la gentillesse.

Erin prit place près de lui et, après avoir déposé l'onguent sur une table basse, entreprit de déboutonner la chemise trempée de sueur qui moulait le torse de Dimitri. Elle fit de son mieux pour se rappeler ses cours de secourisme et s'efforcer de garder la tête froide — il n'était qu'un patient comme un autre, se rappela-t-elle, un blessé requérant une assistance médicale.

Son professionnalisme s'envola sitôt qu'elle déposa

une noix d'onguent sur ses pectoraux et commença à le masser. Dimitri la dévisageait, les lèvres relevées par un demi-sourire indiquant clairement qu'il était conscient de l'effet qu'il produisait sur elle.

Les doigts d'Erin naviguaient sur sa poitrine pour y faire pénétrer le baume. Sa peau avait la douceur de la soie. Elle se concentra sur ses hématomes et s'efforça d'ignorer la bosse qui gonflait son pantalon, juste sous sa ceinture. Elle ne s'arrêta que lorsque l'onguent eut complètement disparu et se leva pour aller se laver les mains. Elle s'attarda le plus possible, profitant de ce répit pour reprendre ses esprits, puis revint dans le salon. Une exclamation de surprise lui échappa quand elle regarda Dimitri.

— Ça alors ! C'est incroyable…

Dimitri baissa les yeux et tressaillit à son tour. Les hématomes, sur son torse, s'étaient singulièrement éclaircis.

— Bon sang, qu'est-ce qui s'est passé ? Tu as des pouvoirs magiques ?

— C'est l'onguent. La fille n'a pas menti : il est prodigieux.

— C'est vrai que je me sens beaucoup mieux. Quel est le programme, maintenant ?

Erin le fixa sans répondre, captivée par sa semi-nudité. La raison lui commandait de quitter la pièce au plus vite mais ses jambes refusaient de lui obéir. Son cœur se mit à battre et elle ferma les yeux pour compter jusqu'à dix. Mal lui en prit, car un film érotique dont Dimitri et elle étaient les héros défila sur l'écran noir de ses paupières.

— Tu… tu ferais bien de te reposer, dit-elle d'une voix étranglée.

— Tu as sans doute raison.

Il s'étira sur le canapé tel un félin en plein soleil et

ferma les yeux. Erin vit que ses paupières n'étaient pas tout à fait closes et laissaient passer deux lames d'un bleu métallique qui observaient le moindre de ses mouvements. Elle savait qu'elle aurait dû tourner les talons mais elle brûlait d'envie de l'embrasser, de se perdre dans ses bras et de s'abandonner au plaisir.

Non, se raisonna-t-elle, elle ne devait pas céder à ses bas instincts. Le passé ne lui avait donc pas servi de leçon ? Elle s'enfonça les ongles dans les paumes, incapable de se décider.

— Tu as besoin de quoi que ce soit d'autre ? demanda-t-elle pour gagner du temps.

Sans ouvrir les yeux, Dimitri eut un sourire en accent circonflexe.

— Comme quoi, par exemple ?

L'atmosphère, entre eux, était si tendue qu'Erin osait à peine bouger. Dimitri, comprit-elle pendant qu'elle l'étudiait, était une contradiction vivante. Fier et ombrageux, il ne lui avait pas pardonné de lui avoir caché l'existence de Leo. Mais en dépit de sa colère, il la désirait toujours. Elle le voyait aux rides de tension qui barraient son front, à la crispation de tout son corps. Il la désirait mais il ne ferait pas le premier pas. Son ego l'en empêchait, surtout après qu'elle l'avait repoussé, la nuit précédente. C'était à elle d'agir, si du moins elle en avait envie.

— Je crois que tu t'es assez réhydraté et ce baume a fait des merveilles, déclara-t-elle d'un ton enjoué. Il ne te reste plus qu'à te reposer. Je te laisse.

Dimitri sourit — et ce sourire signa la perte d'Erin. Quelque chose en elle se brisa, comme un barrage cédant sous la pression des flots. Une fraction de seconde plus tard, elle se penchait sur lui pour effleurer ses lèvres. C'était le prince charmant embrassant la Belle au bois dormant, mais à l'envers.

Et à ce détail près que Dimitri était bien réveillé. Son sourire disparut pour laisser place à une expression tourmentée, reflet de son agitation intérieure. Avec un soupir de reddition, il glissa une main derrière la nuque d'Erin pour l'attirer à lui.

— Je… je n'aurais pas dû faire ça, marmonna-t-elle.

— Au contraire, tu as très bien fait. Tu vas même recommencer.

Il dégageait un parfum enivrant de poussière, de sueur et de cuir auquel se mêlait la fragrance fruitée du baume qu'elle lui avait appliqué. Erin redouta un instant de lui faire mal en prenant appui sur lui mais il ne semblait pas s'en soucier. Tout ce qui intéressait Dimitri, en cet instant, était de l'embrasser avec une passion qui lui arracha un gémissement d'extase.

— Je… je ne te fais pas mal ? demanda-t-elle.

— Non.

Puis il agrippa sa queue-de-cheval telle une corde et lui tira doucement la tête en arrière pour la forcer à le regarder.

— Mais je suis quelque peu handicapé, car le médecin m'a ordonné d'éviter tout effort inutile. Puisque je ne suis pas en position de te déshabiller et de prendre le dessus, il va falloir que tu joues les dominatrices.

Erin se figea, intimidée. Attendait-il un rituel sexuel élaboré et hautement érotique de sa part ? Sur le principe, elle n'y voyait pas d'objection. Le problème était son manque total d'expérience. Elle n'était peut-être pas vierge, mais c'était tout comme !

— Tu sais, reprit-il avec un rire grave, cette suggestion n'était pas censée t'arracher une telle expression d'effroi !

— C'est juste que… je ne veux pas te décevoir.

Dimitri secoua la tête, visiblement dérouté.

— Me décevoir ? De quoi parles-tu ?

— Je n'ai pas… beaucoup d'expérience.

— Certains hommes considéreraient ça comme un point en ta faveur.

— Et tu en fais partie ?

— Pas maintenant, Erin. Je sais que tu aimes beaucoup parler mais je n'ai pas envie de discuter de mes préférences sexuelles. Parce qu'à chaque fois que tu réagis à une de mes remarques, tu bouges sans le vouloir tes hanches sur les miennes. Et tu as dû remarquer que ça ne me laissait pas indifférent, *zvezda moya*.

Non, l'érection qui gonflait son pantalon n'avait pas échappé à Erin. Elle la sentait contre l'arrondi de ses cuisses, dure comme du marbre. *N'importe quelle femme raisonnable partirait en courant*, souffla une petite voix qu'elle était la seule à entendre.

— Nous ne devrions pas faire ça, murmura-t-elle lorsque Dimitri relâcha sa queue-de-cheval et fit glisser sa main sur son épaule.

— Quoi, *ça* ?

— Faire… faire l'amour.

Ses doigts se figèrent juste avant d'arriver sur ses seins.

— Tu veux que je m'arrête ?

Erin ferma les yeux — elle serait mieux armée pour résister à la tentation si elle ne voyait pas son visage. Cette tactique échoua lamentablement et elle s'entendit répondre :

— Non…

— Alors arrête de tout analyser. Déshabille-moi.

Erin tremblait lorsqu'elle se pencha pour défaire le bouton de son jodhpur, et Dimitri l'entendit prendre une inspiration sifflante quand elle fit glisser la fermeture Eclair tendue sur son sexe durci. Il s'agita sur le canapé, s'efforçant de reprendre le contrôle de ses hormones. Il était la proie d'un désir si violent qu'il avait presque l'impression de revivre sa première expérience sexuelle.

Et le meilleur moyen de tempérer un peu ses ardeurs, c'était de songer à la personnalité d'Erin. Derrière la nymphe qui affolait ses sens se cachait une garce égoïste, calculatrice. Elle ne lui avait pas donné la moindre chance de connaître son fils et rien ne pourrait remplacer les années perdues. Pourquoi s'en étonnait-il ? Mieux que quiconque, il savait qu'un enfant n'était qu'un pion entre les mains de sa mère.

La colère l'envahit mais ne produisit pas l'effet escompté, bien au contraire. Furieux contre lui-même, il donna une série d'ordres secs à la jeune femme, espérant presque qu'elle se rebellerait et se montrerait raisonnable pour deux. Là encore, son plan fit long feu. C'était à croire qu'Erin appréciait, au lit, d'être dirigée et dominée.

— Il y a des préservatifs dans ma trousse de toilette. Va en chercher un... Non, laisse-moi faire, c'est plus prudent... Occupe-toi d'enlever ta culotte. Et ton soutien-gorge. Maintenant, assieds-toi à califourchon sur moi et prends-moi en toi. *Da*... Comme ça, oui... Bon sang, Erin, oui... Comme ça...

Les mains sur ses hanches, ses petits seins juste à la bonne hauteur pour ses lèvres, Dimitri la conduisit rapidement à l'orgasme et la regarda jouir avec délectation. Il la suivit presque aussitôt, sans doute trop vite, mais le plaisir n'apaisa pas la faim qu'il avait d'elle — à peine rassasié, il voulait recommencer. Erin éveillait en lui un appétit dont la violence l'effrayait. Il se força à se redresser sur le canapé pour s'éloigner d'elle tandis qu'il reprenait péniblement son souffle.

— Qu'est-ce que tu voulais dire ? demanda-t-il quand il fut enfin en mesure de parler. Quand tu as affirmé que tu manquais d'expérience ?

Erin haussa les épaules d'un air indifférent, mais il vit ses oreilles délicates s'enflammer.

— Rien du tout, marmonna-t-elle. Ce n'était pas important.

— Au contraire, c'est très important.

— Parce que tu le décrètes ?

Dimitri sourit de son air le plus insolent pour répondre :

— Absolument.

Avec une nervosité évidente, Erin enroula une mèche de cheveux autour de son index tout en marmonnant quelque chose d'inaudible.

— Pardon ?

— Je n'ai couché avec personne après toi, répéta-t-elle à peine plus fort.

— Comment ça, personne ?

— C'est pourtant clair, non ?

Le silence retomba tandis que l'esprit de Dimitri traitait cette information inattendue. Après un long moment, il demanda :

— Pourquoi ?

La réponse explosa sur les lèvres d'Erin, comme une émotion trop longtemps contenue qui ne demandait qu'à jaillir.

— A ton avis ? Après toi, je suis tombée enceinte. Ce n'est pas idéal pour sortir et rencontrer un homme, à supposer que j'en aie eu envie. Puis je me suis retrouvée avec un bébé qui n'aimait pas dormir la nuit. Je devais profiter des instants où il somnolait pour me reposer. Je n'avais pas le temps de me maquiller, ou de me laver les cheveux, j'étais tout le temps couverte de taches et j'avais l'impression de me battre contre une pile de linge sale qui grandissait chaque jour. Ensuite, Leo s'est mis à marcher. Je me suis transformée en garde du corps. En parallèle, j'aidais Tara au café et…

Elle s'interrompit — elle regrettait visiblement d'en avoir trop dit.

— … et je n'avais pas de temps à consacrer à ma vie sentimentale, acheva-t-elle.

— Je vois. Donc, puisque j'étais ton premier amant…

— Tu le *savais* ? coupa Erin.

Dimitri sourit, gentiment moqueur.

— Bien sûr que je le savais. On peut m'accuser d'être une brute insensible, mais pas en matière de sexe. J'ai fait attention.

— Mais je… Tu n'as rien dit, à l'époque.

— Toi non plus. C'était une nuit consacrée au plaisir, et je ne voyais pas l'intérêt d'y glisser une discussion anatomique sur l'état de ton hymen.

Les yeux d'Erin jetèrent des éclairs assassins, et elle plaqua un coussin sur sa poitrine nue.

— Tu n'es qu'un goujat, Dimitri.

— Tu trouves ? Tu ne penses pas qu'après tout ce qui s'est passé entre nous il est temps d'appeler un chat un chat ? Plus de mensonges, plus de faux-semblants. Je veux la vérité, désormais.

— Même si la vérité fait mal ?

— Oui. Souffrir, c'est vivre. Si tu veux tout savoir, j'étais furieux de t'avoir fait l'amour, ce soir-là.

— Furieux ? Pourquoi ?

— Parce que tu étais mon employée et que c'était très bien comme ça. J'ai franchi la ligne rouge. Quand un homme prend la virginité d'une jeune femme, cela lui donne certaines responsabilités.

— Des *responsabilités* ? répéta Erin, horrifiée.

— Bien sûr que oui. Je ne voulais pas que tu te fasses des idées, que tu t'imagines que j'étais ton prince charmant. Le problème, c'était que je n'arrivais pas à comprendre ce qui s'était passé. Comment, après une relation professionnelle de plusieurs années, nous avions pu tomber dans les bras l'un de l'autre. Alors dis-moi, Erin, puisque nous sommes honnêtes l'un envers l'autre… M'as-tu choisi pour être ton premier amant à cause de ma réputation de don Juan ? Parce que tu savais que je te donnerais du plaisir ?

Erin, choquée par sa question, ne répondit pas aussitôt. Quand elle parla enfin, ce fut d'une voix lourde de sarcasme.

— Ce n'est pas la modestie qui t'étouffe… Mais pour répondre à ta question, non, ce n'est pas la raison pour laquelle je t'ai choisi. Je ne suis pas si calculatrice. Je ne t'ai pas choisi du tout, si tu veux tout savoir. C'est simplement… arrivé.

— Arrivé ? Juste comme ça ?

— Oui.

— C'est donc complètement par hasard que tu m'as apporté, un soir de pluie, des documents qui auraient pu attendre le lendemain ?

— Pas par hasard, non. Je me faisais du souci pour toi. Depuis plusieurs mois, tu semblais avoir une gueule de bois permanente et tu passais tes nuits à jouer. Selon ton garde du corps, tu vivais comme un vampire. Puis Loukas a démissionné, il y a eu ce scandale à Paris, et je ne faisais pas confiance à ton nouveau garde du corps… Chaque fois que le téléphone sonnait, je redoutais que ce ne soit la police, l'hôpital ou, pire, la morgue…

— Je vois. Tu t'es donc dit que si je goûtais à ta pureté et à ton innocence, je m'amenderais et je changerais de mode de vie ?

— Ne sois pas ridicule, Dimitri. Ce qui s'est passé n'était pas planifié. Tu réécris l'Histoire par pur cynisme.

Dimitri ferma son cœur à la douleur qui brillait dans son regard vert. Il ne devait pas se laisser émouvoir. La logique guidait sa vie, pas ses émotions. Et cette même logique lui soufflait que, malgré les protestations d'Erin, elle croyait en l'amour. Ainsi étaient les femmes, et il avait simplement voulu tuer dans l'œuf ses illusions romantiques.

— Je *suis* cynique et je n'y peux rien. C'est toi qui as débarqué chez moi, trempée et sexy en diable, et je suis censé croire que tu n'avais pas une petite idée derrière la tête ?

— Sexy en diable ? Je portais un vieux tailleur bleu marine et un chemisier blanc boutonné jusqu'au cou ! Ce n'était pas une tenue provocante, à ce qu'il me semble.

— Peut-être pas consciemment, non. Mais tu étais sexy malgré toi. Je n'oublierai jamais le spectacle que tu offrais, trempée jusqu'aux os, avec ces grands yeux innocents…

— Je ne savais pas qu'il se mettrait à pleuvoir quand je suis partie de chez moi !

— Et moi, je ne m'attendais pas à recevoir la visite de ma secrétaire, qui semblait tout droit sortie d'un concours de T-shirt mouillé !

Le seul souvenir de cette nuit raviva le désir de Dimitri, qui posa pudiquement un coussin sur son bas-ventre. Erin lui était apparue, ce soir-là, comme une bouée dans son existence à la dérive. Il s'y était accroché avec l'énergie du désespoir. C'était la façon dont *elle* avait réagi qui les avait précipités dans l'abîme. Il n'avait pas prévu que sa secrétaire se transformerait en bombe sexuelle. Lorsqu'il l'avait embrassée, il s'était répété qu'il allait s'arrêter bientôt, qu'il s'amusait juste un peu avec elle.

Mais il ne s'était pas arrêté. Il n'avait pu s'empêcher de se perdre dans sa chair brûlante de désir, encore et encore, horrifié et troublé à la fois quand il avait découvert qu'il était son premier amant. Sa conscience ne l'avait pas torturé bien longtemps. Les gémissements d'Erin, ses encouragements murmurés et sa façon de se mordre la lèvre à mesure que la volupté s'emparait d'elle avaient balayé tous ses principes, tous ses scrupules. Son seul acte honorable avait été d'utiliser un préservatif, même si, par une étrange ironie du sort, il n'avait pas rempli sa fonction.

Puis Dimitri avait quitté le pays. Avait-il eu peur de cet appétit qui ne faisait pas mine de s'éteindre ? Redoutait-il de devenir un cliché vivant, le patron qui couchait avec sa secrétaire et finissait par s'en mordre les doigts ? Ou avait-il vraiment voulu éviter de la faire souffrir ?

Il comprenait aujourd'hui qu'il avait sous-estimé Erin. Elle n'était pas une petite chose fragile, une sylphide qu'il risquait de blesser s'il n'y prenait garde. Non, la douce Erin avait des griffes acérées comme des rasoirs, et elle était bien plus dangereuse qu'il ne l'avait supposé.

Un silence gêné s'était abattu sur la pièce. Dimitri ne protesta pas lorsque la jeune femme se leva pour ramasser ses vêtements éparpillés. Plus il y avait de distance entre eux, mieux il se contrôlait. Et c'était d'autant plus important, se rappela-t-il, que les circonstances n'avaient pas changé. Elle lui avait caché l'existence de son fils. Elle n'était pas une alliée, mais une ennemie.

Son érection presque douloureuse, hélas, se moquait de ses bonnes résolutions. Erin n'arrangeait pas les choses en se penchant sans pudeur sous ses yeux. Serrant l'accoudoir du canapé, il s'efforça de respirer lentement. Il avait eu ce qu'il voulait et il était bien décidé à ne plus jamais coucher avec elle. Le sexe, avec Erin, n'était pas assez impersonnel. Il se sentait toujours vulnérable après coup, et il détestait cela.

La voix de la jeune femme le tira soudain de son introspection.

— Et maintenant, qu'est-ce qu'on fait ?

Elle dansait d'un pied sur l'autre — son inconfort

redonna à Dimitri l'illusion d'exercer un semblant de contrôle sur leur relation.

— Je vais suivre les ordres du médecin et me reposer, répondit-il d'un ton indifférent, malgré l'érection qui pulsait sous son coussin. Après quoi je m'entretiendrai avec le cheikh comme prévu. En attendant, je suis sûr que tu trouveras de quoi te distraire dans le palais. Il abrite une bibliothèque magnifique. Si tu préfères, tu peux demander à un serviteur de te faire visiter les jardins.

Puis Dimitri s'étira et, ignorant l'étincelle de détresse dans les yeux d'Erin, ajouta dans un bâillement :

— Je suis fatigué, maintenant. Laisse-moi dormir un peu.

8.

Mais comment avait-elle pu faire une bêtise pareille… et *pour la seconde fois* ?

Erin s'approcha des berges du lac artificiel niché dans les jardins du palais et fixa sans les voir ses eaux claires. Elle avait couché avec Dimitri. Elle était tombée tête baissée dans le piège même qu'elle avait juré d'éviter.

Le soleil faisait scintiller la surface du lac, que des oiseaux exotiques rasaient à intervalles réguliers pour s'abreuver. Le palais était une véritable oasis en plein désert, l'un des plus beaux endroits qu'elle eût jamais vus. Mais Erin le remarquait à peine, obnubilée par son interlude érotique en compagnie de Dimitri, la veille. Elle se sentait pareille à une droguée qui, après des années d'abstinence, était retombée dans son addiction favorite.

Une fois l'acte consommé, il l'avait traitée avec la même froideur polie qu'il manifestait quand il signait un contrat. Il s'était éloigné d'elle, tout comme la première fois. Il l'avait congédiée, avait roulé sur le côté et s'était endormi. Erin avait beau se répéter qu'il était épuisé après son accident, elle ne pouvait se départir d'un sentiment d'humiliation.

Elle avait regagné sa suite le cœur lourd, et pris une douche chaude qui n'était pas parvenue à lui remonter le moral. Mais elle avait fait de son mieux pour rester calme et pour s'occuper — s'activer l'empêchait de penser à ce qui s'était passé. Suivant les conseils de Dimitri, elle avait exploré la bibliothèque du palais et mis un point d'honneur à se repérer toute seule dans ses couloirs labyrinthiques. Puis elle avait passé plusieurs heures dans le désert, escortée par la jeune femme qui leur avait apporté l'onguent, et qui s'était révélée d'une compagnie très agréable. Elle avait croisé Dimitri en fin d'après-midi mais il ne l'avait pas touchée, ne l'avait pas embrassée, ne lui avait pas fait passer le moindre message…

Erin se répéta que c'était pour le mieux. Une nouvelle étreinte ne ferait que compliquer une situation qui l'était bien assez. Mais elle ne pouvait s'empêcher de trouver son attitude plus blessante encore que s'il avait fait preuve d'une franche hostilité. Il la traitait avec l'indifférence affable qu'il aurait manifestée à l'égard une serveuse dans une soirée, au point qu'elle en venait presque à croire qu'elle avait rêvé ce qui s'était passé entre eux. Ce fut donc sans enthousiasme qu'elle se prépara pour leur dernier dîner au palais.

Lorsque Dimitri frappa à sa porte, elle le découvrit vêtu d'un costume sombre qui ne le rendait que plus intimidant — et plus troublant encore. Ses cheveux, sous le chandelier de cristal, brillaient comme de l'or brossé.

— J'ai un dernier rendez-vous avec le cheikh avant de dîner, annonça-t-il. Je passerai te chercher juste après. Oh ! et nous repartons à Londres à la première heure demain. Je suis sûr que tu seras contente de rentrer.

— En effet, répondit-elle, feignant d'être aussi décontractée que lui. J'appellerai ma sœur pour la prévenir.

— Tu lui as parlé aujourd'hui ?

— Oui.

— Comment va Leo ?

— Bien.

Il y eut une pause, puis Dimitri enchaîna :

— Tu ne lui as pas trop manqué ?

— Non. Je n'ai été absente que deux jours.

Erin hésita — c'était leur première conversation depuis qu'ils avaient couché ensemble et elle fut prise d'une envie irrationnelle de la prolonger, de faire comme si tout était normal.

— Le cheikh a-t-il accepté de te vendre ses puits ?

Dimitri rajusta sa cravate, d'un bleu un ton plus profond que celui de ses yeux, avant de répondre :

— Il doit justement me donner sa réponse durant cet entretien. Mais je soupçonne que ce sera oui.

— Tu as presque l'air surpris ?

— Je le suis. Après des années passées à faire un pas en avant et deux pas en arrière, j'ai peine à croire que nous sommes arrivés au bout des négociations. Pas d'exigences de dernière minute, pas de tergiversations, tout est devenu presque facile.

— Parce que tu lui as sauvé la vie ?

— Je pense que ça a joué, oui.

Erin se mit à danser d'un pied sur l'autre, incapable de cacher sa nervosité à l'idée de quitter le Jazratan.

— Que va-t-il se passer une fois que nous serons rentrés ?

— De quel point de vue ?

— En ce qui concerne Leo, évidemment. Tu veux toujours faire sa connaissance, non ?

— Et tu préférerais que ce ne soit pas le cas ?

L'accusation toucha une corde sensible et jeta une lumière crue sur une facette de sa personnalité qu'Erin n'aimait pas : une femme égoïste, qui aurait presque souhaité que Dimitri disparaisse et cesse de la soumettre à cette tentation permanente.

— Non, répondit-elle, espérant qu'il n'avait pas

remarqué son hésitation. Non, ce n'est pas ce que je veux mais…

— Mais quoi ? Tu penses toujours que je serai un mauvais père ? Tu crois que je vais l'emmener dans un casino ou dans un bar à la première occasion ?

Erin se força à affronter son regard. Elle devait lui faire comprendre avant qu'il ne soit trop tard que ce n'était pas ses sentiments qui importaient, mais bien ceux de leur fils. Leo était vulnérable et elle lutterait bec et ongles pour éviter qu'il souffre.

— Non, ce n'est pas ce que je crois, répondit-elle d'un ton égal. Je reconnais que tu n'es plus ce genre d'homme. Mais il y a d'autres considérations…

— Tu parles de ce qui s'est passé entre nous ?

Erin leva les yeux au ciel, exaspérée. S'imaginait-il qu'elle allait s'accrocher à lui comme une sangsue sous prétexte qu'ils avaient fait l'amour ensemble ?

— Non. Oublie ce qui s'est passé entre nous. C'est Leo qui me préoccupe. Je ne veux pas que tu lui annonces que tu es son père sur un coup de tête si tu dois changer d'avis après.

— Que suggères-tu ?

— Je te demande d'attendre un peu avant de lui révéler ton identité. Une sorte de période d'essai, si tu préfères, qui lui sera bénéfique autant qu'à toi. Si tu décides que tu n'es pas fait pour être père, tu pourras partir sans problème.

Elle leva la main pour interrompre l'objection qu'il s'apprêtait à émettre et poursuivit :

— Tu verras qu'un enfant demande beaucoup de temps et d'énergie. Leo a besoin d'attention, de sécurité, de stabilité. Tu ne peux pas faire une pause juste parce que tu en as assez, c'est un travail à plein temps. Tu as toujours vécu selon tes propres règles, Dimitri, plus qu'aucun autre homme. Si tu t'apercevais que tu n'es pas taillé pour ce nouveau rôle, personne ne t'en voudrait, surtout pas moi. Je te demande juste de ne pas faire de promesses en l'air. J'espère que tu comprends ?

Dimitri se mordit la lèvre inférieure d'un air pensif, puis acquiesça.

— Je comprends.

Tout en se dirigeant vers les appartements du cheikh, il songea à sa conversation avec Erin et à la franchise dont elle avait fait preuve envers lui. Il commençait à comprendre que, en ce qui concernait Leo, c'était elle qui avait les cartes en main, et lui qui était en position de faiblesse. Etait-ce pour cela qu'il ne lui avait pas parlé après lui avoir fait l'amour ? Etait-ce un moyen de regagner un semblant de contrôle sur la situation ? Il savait que, s'il l'avait prise dans ses bras, elle aurait fondu aussitôt. Mais quelque chose l'en avait empêché. Auprès d'Erin, il avait l'impression d'être un puzzle éparpillé à reconstruire. Or il n'avait pas envie qu'on le reconstruise. Il était très bien comme ça.

Il remonta le long couloir qui conduisait aux appartements du cheikh, la quiétude du lieu seulement troublée par le bruit de ses pas et le murmure de fontaines dans la cour intérieure. La nuit n'était pas complètement tombée mais il discernait déjà les contours de la lune. Cela faisait des mois qu'il attendait cet instant — un contrat avec le cheikh Al Mektala, du pétrole contre des diamants. Sa signature lui permettrait de mettre un pied au Moyen-Orient, un marché notoirement difficile à pénétrer.

Pourtant, il n'éprouvait pas l'excitation espérée. Son esprit était obnubilé par l'image d'un bambin aux cheveux blonds et aux yeux si étrangement semblables aux siens. De façon presque inéluctable, ses réflexions le ramenèrent à Erin, à son regard blessé et confiant tout à la fois. Qu'allait-il bien pouvoir faire d'elle ?

Un domestique le fit entrer dans une pièce qui, avec

ses hauts plafonds, ses rayonnages et ses vitrines de verre, tenait à la fois du bureau, de la bibliothèque et du musée. Des portraits de pur-sang étaient accrochés aux murs, des antiquités exposées sur des étagères ou des piédestaux. Un bureau trônait au centre de la pièce — celui du cheikh. Une photo le représentait brandissant une coupe près d'un magnifique alezan.

— L'une de mes plus belles victoires, commenta Saladin, émergeant d'un recoin sombre derrière une étagère.

D'un geste, le cheikh fit signe à Dimitri de s'asseoir avant de prendre place de l'autre côté du bureau.

— Mais quel est le sens de ce genre de victoire, tout bien considéré ? reprit le souverain. J'ai vu la mort en face aujourd'hui. Sans vous, je ne serais peut-être pas là. Beaucoup de mes ennemis se réjouiraient de me voir mort, ou handicapé, car je n'ai pas d'héritier. Le pays passerait entre les mains d'une branche distante de ma famille. Je remercie donc le ciel que vous ayez accepté mon défi.

— Comment refuser de me mesurer à un roi ? ironisa Dimitri.

— Même si cela déplaisait à la femme splendide qui vous accompagne ?

Dimitri se renfrogna aussitôt. Il n'avait pas amené Erin pour qu'elle suscite la convoitise d'un homme aussi puissant que le cheikh.

— Je vis ma vie comme je l'entends, répliqua-t-il.

— Mais vos actions vous ont mis en danger, fit valoir le souverain, les doigts joints sous le menton.

— La mort fait partie de la vie, répondit Dimitri avec fatalisme.

Sourcils froncés, Saladin prit un stylo en or qu'il fit rouler entre ses doigts.

— Certes, mais pas à nos âges, en général. Cet

incident m'a fait réfléchir. Peut-être vous forcera-t-il à faire de même.

Abruptement, il signa une série de documents posés devant lui et les poussa vers Dimitri.

— Les puits sont à vous.

Dimitri patienta quelques secondes, mais l'excitation tant attendue ne vint pas. Il se força à sourire et hocha la tête.

— Merci.

— Mes avocats prendront contact avec vous. Mais, Dimitri…

Dimitri, qui s'était déjà levé, se figea. Saladin ne l'appelait presque jamais par son prénom.

— Majesté ?

Le cheikh hésita — il paraissait chercher ses mots.

— Vous êtes poursuivi par vos démons, c'est le lot de tout homme qui a du succès. Parfois, le meilleur moyen de s'en débarrasser est d'arrêter de courir et de leur faire face…

Dimitri ressassa le conseil du souverain tandis qu'il regagnait sa suite. C'était une remarque personnelle d'autant plus étrange que le cheikh n'avait pas la réputation d'être amical. S'expliquait-elle par le lien qui s'était forgé entre eux quand Dimitri lui avait sauvé la vie ?

Et était-il vraiment en proie à ses démons ?

Il comprit soudain que la colère qui le rongeait n'était pas due à la trahison d'Erin, ou au sentiment d'impuissance qu'il avait éprouvé en découvrant qu'il avait un fils. Non, ce qui le torturait, c'était la crainte de ne pas être un père à la hauteur. Serait-il capable d'offrir à un enfant l'amour dont il avait besoin ? Erin et son fils vivaient peut-être dans un certain dénuement matériel, mais au plan émotionnel, ils étaient bien plus riches que lui.

Il frappa à la porte de la jeune femme et la trouva qui lisait un livre en l'attendant. Son corps se durcit lorsqu'il étudia la robe bordeaux qui épousait ses formes mais il fit taire son désir. Il ne voulait pas se laisser distraire de ce qui comptait vraiment, et de l'étonnante révélation qu'il venait d'avoir : enfin, après des semaines d'angoisse et d'atermoiements, il savait que faire. Il se demanda comment il n'y avait pas songé plus tôt.

Il plongea dans les yeux d'Erin — était-il possible d'imaginer deux êtres plus différents qu'elle et lui ?

— Je veux emmener Leo dans mon pays, annonça-t-il sans préambule.

Sous le coup de la stupeur, Erin laissa échapper son livre.

— Tu veux dire…

Une émotion sans nom gonfla son cœur et il acquiesça.

— *Da*. En Russie.

9.

Une porte lointaine claqua et un petit garçon déboula dans la pièce, retirant sa veste et secouant la tête comme un chiot. Une pluie de gouttelettes tomba sur la vieille moquette qui, heureusement, en avait vu d'autres.

— Bonjour, mon chéri.

Erin s'avança pour prendre la veste des mains de son fils. Debout dans un coin de la pièce, Dimitri étudiait le petit garçon — ses yeux bleus avaient l'intensité d'un faisceau laser. Il détonnait dans la petite pièce à l'arrière du café et Erin regretta un instant de ne pas avoir accepté l'offre de sa sœur, qui lui avait proposé de rester. Ravalant son anxiété, elle peignit un sourire éclatant sur ses lèvres pour ébouriffer les cheveux de son fils.

— Je voudrais te présenter un ami, mon chéri.

Leo, un enfant qui semblait en perpétuel mouvement, s'approcha de Dimitri et leva vers lui un regard franc.

— Comment tu t'appelles ?

— Dimitri. Et tu es Leo.

— Comment tu le sais ?

— Ta maman me l'a dit.

Les deux adultes échangèrent un coup d'œil rapide, puis Leo enchaîna :

— Pourquoi tu parles bizarrement ?

— Parce que je viens de Russie, répondit Dimitri en riant.

— C'est quoi la Russie ?

— Ah… C'est un pays merveilleux entre l'Europe et l'Asie. Il y a de la neige en hiver et des monuments magnifiques, uniques au monde. Si tu veux, je peux te montrer où il se trouve sur une carte.

— Oh oui !

— Marché conclu. Tu as un atlas, Erin ?

— Je suis sûre que je peux en dénicher un, répondit la jeune femme d'un ton détaché.

Mais son cœur battait à cent à l'heure.

La soirée fut l'une des plus étranges de sa vie. Parfois, dans un moment de faiblesse, elle s'était prise à imaginer que Leo rencontrerait un jour son père. Mais même dans ses rêves les plus fous, elle n'avait jamais cru que le glacial oligarque se montrerait à l'aise avec un enfant. Soit elle l'avait mal jugé, soit il était excellent acteur, car Leo passa la soirée sur ses genoux pendant que Dimitri lui racontait l'histoire de son pays en désignant divers endroits sur une grande carte dépliée devant eux. C'était à croire qu'ils s'étaient toujours connus.

Pour repousser le voyage en Russie, elle avait fait valoir que Dimitri devait d'abord apprivoiser son fils. Mais elle ne s'était pas attendue à ce que les choses se passent si bien, et ce dès le premier soir. Son inquiétude grandit lorsque en rentrant du café, deux semaines plus tard, elle les trouva, tête blonde contre tête blonde, devant une photo.

Déjà, ils avaient leurs secrets.

Déjà, ils l'excluaient.

— Qu'est-ce que c'est ? demanda-t-elle en se penchant sur le cliché, qui représentait une demeure somptueuse.

— C'est ma maison dans la région de Moscou.

— C'est… c'est très joli.

Dimitri redressa la tête et sourit, une lueur triomphante dans les profondeurs de son regard.

— En effet. Et je crois que nous devrions y emmener Leo.

— Oh, maman, on peut ? fit le petit garçon avec excitation. On peut, dis ?

Erin réprima une colère sourde — pourquoi Dimitri lui forçait-il la main ? Mais bien sûr, un homme tel que lui n'était pas habitué à négocier, puisqu'il était toujours en position de force.

— Je… je ne suis pas très sûre de pouvoir trouver quelqu'un pour me remplacer au café en dernière minute, objecta-t-elle.

— Je m'en occuperai. Ni toi ni ta sœur n'aurez plus à vous faire de souci.

Il allait noyer le problème sous un déluge d'argent, comprit Erin. Et le pire, c'était qu'elle ne pouvait rien y faire. Quoi qu'elle dise, Dimitri n'en ferait qu'à sa tête.

— Dans ce cas, dit-elle d'un ton faussement enjoué, pourquoi pas ?

Moscou semblait droit sortie d'un conte de fées — ou de l'imagination de Walt Disney. Des bulbes colorés et piquetés d'étoiles surmontaient des tours dodues, contrastant avec les imposants bâtiments administratifs qui flanquaient la Moskova. Des bateaux dérivaient paresseusement sur le fleuve, pareils à des jouets. Erin découvrait la ville telle une miniature étalée à ses pieds, depuis l'hélicoptère dans lequel ils avaient embarqué dès leur arrivée à l'aéroport. La distance accentuait son sentiment d'irréalité.

Malgré ses réserves initiales à l'égard de ce séjour, Erin sentait son excitation monter d'heure en heure.

Leo, pour sa part, était aux anges. Il était difficile d'envisager baptême de l'air plus spectaculaire.

— Tu crois qu'il va neiger ? demanda le petit garçon, tout excité, en scrutant le ciel bleu. Ma maîtresse dit qu'il neige toujours en Russie.

— Pas toujours, corrigea Dimitri. La neige arrive en général vers la fin du mois d'octobre.

A cette nouvelle, Leo se renfrogna :

— Mais je voulais faire des bonhommes de neige…

— Dans ce cas, nous n'aurons pas d'autre choix que de revenir !

Erin se raidit et resserra son pashmina tout neuf autour de ses épaules. Revenir ? Déjà, elle redoutait les conséquences d'un tel voyage sur son fils. A force de goûter aux trajets en jet privé et en hélicoptère, il risquait de s'habituer au luxe insensé dans lequel baignait Dimitri. Prendre le bus comme tout le monde lui paraîtrait bientôt inacceptable.

Pour être honnête, elle-même ne s'en sortait pas beaucoup mieux. A force de voir Dimitri tous les jours, elle le sentait qui pénétrait insidieusement les barricades qu'elle avait érigées autour de son cœur. Elle avait beau se répéter qu'il ne connaissait et ne connaîtrait jamais l'amour, son comportement avec Leo semblait contredire cette théorie. Il lui fallait donc en permanence se protéger de son charme. D'accord, Dimitri était peut-être un bon père. Mais cela ne voulait pas dire qu'il avait changé d'opinion sur les femmes. Il l'avait abandonnée sans explication après lui avoir fait l'amour, *deux fois*.

Elle lui jeta un coup d'œil discret, impressionnée malgré elle par la beauté aristocratique de son profil, par ses pommettes hautes et sa mâchoire décidée. Le soleil de cette fin de journée pénétrait dans l'appareil et le baignait d'un halo doré. Il tourna soudain la tête et, lorsqu'il surprit son regard, sourit de toutes ses dents.

— Nous sommes presque arrivés, annonça-t-il en désignant un point du doigt, à travers la bulle de verre du cockpit.

Ils survolaient une étendue de conifères impénétrable, d'un vert si dense qu'il en était presque noir. Un héliport apparut en bordure de la forêt et l'appareil s'y posa quelques minutes plus tard. Une bouffée d'air froid s'engouffra dans l'habitacle quand Dimitri ouvrit la porte et mit pied à terre. Il aida Erin à descendre puis, son fils dans les bras, alla à la rencontre d'un homme qui les attendait près d'un 4x4.

Dimitri prit le volant, et ils se retrouvèrent bientôt sur une route taillée dans un véritable canyon de verdure. Des propriétés extravagantes apparaissaient parfois à la faveur d'une trouée dans la végétation, puis disparaissaient comme des mirages, avalées par les arbres. Après un quart d'heure de trajet, Dimitri emprunta une route latérale barrée quelques centaines de mètres plus loin par un portail d'acier qui coulissa en silence pour les laisser passer.

— Où sommes-nous ? s'enquit Erin, impressionnée.

— Nous entrons dans la datcha familiale. C'est là que j'ai grandi.

— Je croyais que tu venais de Moscou ?

— Non. Mon père y passait beaucoup de temps mais ma mère préférait vivre ici. C'est une sorte de refuge secret où les plus riches viennent se cacher. On dit que la sécurité y est plus stricte encore qu'au Kremlin et que peu d'étrangers y sont admis. Considère-toi comme une privilégiée, Erin.

Privilégiée ? Erin était à deux doigts de paniquer, surtout lorsque Leo lui tira sur la manche avec excitation.

— Maman, regarde !

Une magnifique maison de style Arts déco venait d'apparaître au bout de l'allée. Erin la reconnut aussitôt — c'était celle de la photo. De près, elle était encore plus imposante que sur papier glacé. Sa porte d'entrée incurvée renforçait l'impression qu'elle sortait tout droit d'un conte de fées.

Erin brûlait d'envie de poser mille questions mais elle n'en eut pas le loisir. Une femme gironde les attendait sur le seuil, le visage fendu d'un large sourire. Dimitri lui sourit en retour, avec une chaleur dont Erin ne l'aurait jamais cru capable. Puis il l'étreignit à lui en couper le souffle.

— Voici Svetlana, annonça-t-il. Elle s'occupait de moi quand j'étais petit. Svetlana, je te présente Erin, la mère de Leo.

— Vous êtes la bienvenue, fit la gouvernante avec un fort accent. Viens, Leo. Tu dois être fatigué.

Aussitôt, Leo secoua la tête.

— Je suis pas fatigué !

— Très bien ! s'exclama Svetlana. Tu aimes le pain d'épice, Leo ? Nous avons du pain d'épice délicieux en Russie. Dimitri adorait ça quand il était enfant.

Erin baissa les yeux sur son fils — il arborait la même expression que s'il avait vu le Père Noël. Il suivit Svetlana sans protester, alors que d'habitude il était très difficile et refusait toute nourriture qu'il ne connaissait pas. Peut-être la gouvernante de ce palais enchanté avait-elle des pouvoirs magiques ?

Elle les regarda s'éloigner et disparaître dans un couloir, puis sentit la main de Dimitri sur son épaule. Elle tressaillit mais il voulait simplement l'aider à retirer son manteau. A sa suite, elle passa dans un salon immense qui ouvrait sur les jardins à l'arrière de la maison. Erin regarda autour d'elle, émerveillée par la beauté du lieu. Qui aurait cru qu'une telle merveille se dressait au milieu de la forêt ?

Comme dans son appartement londonien, des œufs de Fabergé étaient posés çà et là, et un bonzaï ornait une table en laque de Chine. Elle s'approcha pour étudier ses feuilles minuscules — où donc trouvait-il un jardinier pour s'en occuper, à une centaine de kilomètres de Moscou ? Et combien d'appartements, de maisons, de bonzaïs et d'œufs de Fabergé possédait-il, au juste ? S'emmêlaient-ils tous dans son esprit, à l'instar des femmes qui passaient dans son lit, trop nombreuses pour laisser la moindre impression ?

— Tu viens souvent ici ? demanda-t-elle, pivotant pour affronter son regard bleu.

— Trois ou quatre fois par an, parfois plus si j'ai le temps.

— Tu entretiens une maison de cette taille pour des visites occasionnelles ?

— Pourquoi pas ? Nous autres Russes, nous préférons la pierre à la spéculation. Et c'est ici que vit Svetlana. Son fils s'occupe des jardins et sa belle-fille l'aide à entretenir la maison. Mais je n'ai pas envie de parler de mon portefeuille immobilier.

Sa voix s'était faite plus rauque, et la caressa comme du velours. Malgré le frisson qui la parcourut, Erin s'efforça de demeurer impassible. *Ne le laisse pas jouer avec toi. Montre-lui que tu peux lui tenir tête.*

— Vraiment ? fit-elle d'un ton neutre.

— Tu as peut-être remarqué que j'étais un peu… distant, ces dernières semaines.

Erin haussa les épaules.

— Je n'ai pas fait très attention. Peut-être.

Dimitri étudia un court instant son bonzaï avant de reporter son attention sur elle.

— Je pensais qu'il était préférable pour nous, et

pour Leo, de nous en tenir à une relation platonique. Je voulais éviter les complications. J'ai peut-être eu tort.

— Dimitri Makarov, avoir tort ? Je ne pensais pas que c'était possible. Tu peux mettre ça par écrit ?

— Parce que malgré tout ce qui s'est passé, poursuivit-il comme si elle n'avait rien dit, et malgré la petite voix qui me souffle de me méfier, les faits sont là, *zvezda moya* : j'ai envie de toi. Et je connais assez les femmes pour savoir que c'est réciproque.

Erin s'efforça de ne pas détourner le regard en dépit de la bouffée de chaleur qui venait d'exploser au creux de son ventre. De toutes ses forces, elle se concentra sur l'arrogance de Dimitri. Avait-il vraiment dit cela ? Espérait-il qu'elle allait lui céder après une telle remarque ?

— Oui, j'ai envie de toi, concéda-t-elle. Je ne suis pas assez hypocrite pour le nier.

— Que fait-on, alors ?

Une impatience presque palpable émanait de lui et, même si Erin avait l'impression qu'il faisait l'effort de discuter, contrairement à ses habitudes, cela ne lui suffisait pas. S'il s'imaginait qu'elle allait se contenter des restes qu'il lui jetait, il se faisait des illusions !

— Nous ne faisons rien du tout, répliqua-t-elle d'un ton sec. Tu t'imagines que je vais te tomber dans les bras juste parce que tu claques des doigts ? Après que tu m'as ignorée pendant des semaines ? Je ne suis pas ta marionnette, Dimitri. Je ne vais pas me mettre à danser juste parce que tu as envie de t'amuser avec moi.

— Tu ne peux pas céder à tes envies, pour une fois ? Agir sur un coup de tête, juste pour le plaisir ? Pourquoi faut-il toujours que tu analyses les choses ?

— Parce que c'est ce que font les femmes. C'est ce que nous appelons *dignité*. J'ai commis des erreurs autrefois, et même si c'est un peu tard, j'ai décidé de les corriger. Je suis désolée de t'avoir exclu de la vie de Leo sans te donner l'occasion de prouver que tu pouvais changer. C'est pour ça que j'ai accepté de t'accompagner en Russie, bien que ce soit… difficile pour moi. Mais je refuse de devenir ton jouet même si, oui, j'ai envie de toi. Maintenant, si tu veux bien me montrer ma chambre, je serais ravie d'ouvrir mes valises et de prendre une douche.

Un mélange d'incrédulité et de colère se peignit sur le visage de Dimitri. Il marmonna quelque chose en russe, puis se détourna et se dirigea à grands pas vers l'escalier monumental qui conduisait au premier étage. Son air contrarié arracha un sourire à Erin, mais sa satisfaction fut de courte durée quand elle songea qu'elle ne goûterait plus jamais à ses caresses, ne s'enivrerait plus de ses baisers…

La victoire lui parut soudain bien amère.

10.

C'était la première fois depuis une éternité — si l'on exceptait son séjour au Jazratan — qu'Erin se voyait attribuer une chambre privée. A Londres, elle partageait celle de Leo depuis le jour où elle l'avait ramené de l'hôpital. Jouir d'un espace à elle lui semblait le comble du luxe.

Suite à leur dispute, Dimitri avait disparu dans son bureau, laissant à Svetlana le soin de faire visiter la propriété à Erin et à Leo. La joviale gouvernante leur avait ouvert les portes des innombrables pièces réparties sur trois étages, avait arpenté avec eux les jardins parfaitement entretenus et avait terminé par le plus impressionnant, le complexe sportif et sa longue piscine intérieure. Leo avait poussé un cri d'excitation en découvrant le bassin, au grand désespoir de sa mère — Erin détestait nager. Il n'était pas difficile d'imaginer ce que Leo allait demander à Dimitri, lequel était apparu à point nommé à la porte du complexe.

— Je peux me baigner, Dimitri ?

Le cœur d'Erin s'était emballé lorsqu'elle avait croisé le regard du Russe. Elle n'y avait lu ni sarcasme ni séduction. Il l'avait saluée d'un simple sourire et d'un hochement de tête avant de s'agenouiller près de son fils.

— Bien sûr, si c'est ce qui te fait plaisir.

— Il a oublié de préciser qu'il ne sait pas nager, avait fait valoir Erin.

— Dans ce cas, je lui apprendrai.

Erin n'avait pas eu le temps de souligner que Leo n'avait pas d'affaires de natation. Dimitri avait ouvert un coffre qui débordait de bouées, de brassards et de maillots de bain pour enfant — dont certains portaient encore leur étiquette. Elle avait pris conscience des efforts qu'il avait déployés en coulisses pour préparer ce voyage, et un malaise diffus l'avait envahie à l'idée d'avoir été manipulée. Mais elle ne voulait pas gâcher le bonheur de son fils. Et elle devait bien avouer que voir Dimitri se dépenser sans compter pour lui la réjouissait… tout comme le spectacle qu'il lui avait offert en maillot de bain. Elle avait beau essayer de détourner le regard, ses yeux revenaient sans cesse sur son corps musclé, ruisselant de gouttelettes argentées.

Après trois jours de ce rituel quotidien, Erin se demanda si elle avait bien fait de repousser les avances du Russe le soir de leur arrivée. Elle brûlait de désir et elle était tentée, la nuit venue, de se soulager elle-même.

Mais tout n'était pas que frustration et regrets. Leo paraissait plus heureux que jamais, et obéissait aux règles de la maison. Il savait qu'il ne devait jamais s'approcher de la piscine sans un adulte et mangeait absolument tout ce que Svetlana lui servait sans protester. Les rares fois où il avait failli rechigner devant un plat inconnu, un regard de Dimitri avait suffi à le rappeler à l'ordre et à lui faire terminer son assiette. Leo s'était également découvert un ami en la personne d'Anatoly, le petit-fils de Svetlana, d'un an son aîné. Les jardins lui permettaient de se dépenser comme il en avait rarement l'occasion à Londres.

Toute reconnaissante qu'elle fût, l'indifférence polie de Dimitri commençait à agacer Erin. Pourtant, c'était exactement ce qu'elle lui avait demandé, et elle ne pouvait pas s'en plaindre. C'était typique, se raisonna-t-elle — on ne désirait rien tant que ce que l'on ne pouvait pas avoir. Un peu comme quand elle surveillait sa ligne et qu'elle mourait d'envie d'une pâtisserie.

Sauf que Dimitri n'avait rien d'une pâtisserie. Il n'était ni doux ni réconfortant, mais sec et impitoyable. Il n'y avait qu'avec son fils qu'il montrait une facette de sa personnalité qu'elle n'avait jamais soupçonnée. Elle avait parfois l'impression, en les voyant ensemble, d'être une intruse.

Elle alla se coucher tôt, ce soir-là, et referma la porte avec un soupir lourd. A défaut d'être heureuse, elle aurait dû ressentir un certain contentement. Dimitri les avait emmenés faire une longue promenade en forêt et l'air frais les avait épuisés. Leo dormait à poings fermés dans sa chambre et, après un dîner délicieux, Dimitri s'était excusé pour aller prendre un appel urgent dans son bureau.

Erin entreprit de se déshabiller, se demandant comment il réagirait si elle allait le voir pour lui dire qu'elle avait changé d'avis, qu'elle se moquait de devenir son jouet tant qu'il l'embrassait. Mais ce serait un acte stupide, qui ne lui apporterait que des regrets pour une satisfaction de courte durée.

Elle venait de passer sa chemise de nuit lorsque l'on frappa à la porte. Supposant qu'il s'agissait de Leo, elle se hâta d'aller ouvrir. Elle fut surprise de découvrir Dimitri appuyé contre le chambranle — et beaucoup moins surprise par la sensation de chaleur qui envahit son intimité.

— Tu n'es pas encore couchée ?

— Non.

Dieu merci, elle n'avait pas allumé la lumière dans

la chambre. L'obscurité dissimulait ses joues rouges et ses seins pointant sous sa chemise de nuit.

— Je peux entrer ?

Elle ne lui demanda pas pourquoi, et ce fut sa première erreur. La seconde fut de ne pas s'éloigner lorsqu'il referma la porte derrière lui. Elle fit de son mieux pour calquer son comportement sur l'indifférence dont il avait fait preuve à son égard toute la journée, mais elle remarqua soudain une lueur d'impatience dans le regard de son visiteur nocturne.

— Que… qu'est-ce que tu veux, Dimitri ?

— Te dire des choses que j'aurais dû dire il y a longtemps.

Erin le dévisagea dans la pénombre, méfiante.

— Quel genre de choses ?

Dimitri hésita, car les confidences ne lui venaient pas naturellement. Il avait grandi dans un univers où l'on ne donnait pas d'explications, où l'on enfouissait ses sentiments jusqu'à se persuader qu'ils n'existaient pas. Et il avait perpétué cette tradition destructrice à l'âge adulte. « Ne te justifie jamais » avait été son mot d'ordre. Les gens n'avaient qu'à le prendre tel qu'il était et si quelque chose chez lui leur déplaisait, tant pis pour eux. Avec sa fortune, il ne manquait pas d'amis. La majeure partie des gens n'avaient qu'une envie : lui plaire.

Erin constituait une exception notable à cette règle. Elle agissait en fonction de valeurs strictes, même si c'était à ses propres dépens. Et elle était la mère de son enfant. Elle méritait son respect.

— Je comprends pourquoi tu m'as caché l'existence de Leo pendant si longtemps, déclara-t-il.

Erin fronça le sourcil. Malgré l'obscurité, la clarté lunaire permettait à Dimitri de lire sa perplexité sur son visage.

— Vraiment ?

— Oui. Tu avais peur de le corrompre, et tu avais raison. A l'époque, je regardais le monde à travers le fond d'un verre. Je ne t'en veux pas de m'avoir tenu à l'écart. C'est ce que toute mère sensée aurait fait, et tu es une mère fantastique. Notre fils est merveilleux, Erin. C'est grâce à toi. Envers et contre tout, tu en as fait un enfant heureux, équilibré.

Erin ne savait pas à quoi elle s'était attendue, mais ce n'était pas à cela. Ces compliments la prirent de court et lui firent monter les larmes aux yeux. Pourquoi ne lui avait-il pas dit cela avant ? Il aurait pu rencontrer Leo des années plus tôt. Elle songea au temps perdu et, soudain, se rendit compte qu'elle ne voulait pas perdre une seconde de plus.

Repoussant les larmes qui lui brûlaient les yeux, elle s'approcha de Dimitri.

— Embrasse-moi…

— Erin…

— Tais-toi, coupa-t-elle. Tais-toi et embrasse-moi, Dimitri Makarov.

D'un pas, il franchit la distance qui les séparait et lui prit le menton. Sa langue sépara ses lèvres et enveloppa la sienne. Avec un gémissement de plaisir, Erin s'abandonna contre lui. Etait-ce l'abstinence qu'elle s'était imposée qui rendait son excitation si vive ? Ou l'impression qu'ils avaient franchi une étape importante ?

Elle l'ignorait et, pour tout dire, elle s'en moquait. Seule comptait la façon dont il la touchait, dont ses mains descendaient le long de ses hanches pour remonter sa chemise de nuit.

— Je suis désolée, marmonna-t-elle. Si j'avais su que tu venais, j'aurais mis quelque chose de plus sexy…

— Tu plaisantes ? Je n'ai jamais rien vu d'aussi sexy,

murmura-t-il en faisant passer le vêtement par-dessus sa tête avant de l'envoyer valser à travers la pièce.

A son tour, Erin l'aida à se déshabiller. Ce soir, son manque d'expérience ne la paralysait plus. Elle savait que Dimitri la désirait, son érection bien visible à travers son pantalon en attestait. Avec une audace inédite, elle fit courir ses doigts sur la peau soyeuse de son torse. Un frisson d'excitation la parcourut quand elle le sentit trembler sous ses caresses. Malgré l'abîme social, financier et culturel qui les séparait, elle avait toujours eu l'impression d'être son égale au lit.

Les draps étaient froids contre sa peau nue, mais le corps de Dimitri lui communiqua bientôt une chaleur bienvenue. D'un doigt, il lui redressa le menton et plongea les yeux dans les siens avant de l'embrasser. Glissant une jambe entre les siennes, il la tint serrée contre lui un long moment, îlot de tendresse inattendu dans la tempête qui les emportait.

Puis ses mains reprirent leur enivrante exploration, et les seins d'Erin se durcirent contre son torse d'acier. Son érection pesait sur son ventre, presque intimidante. Une moiteur brûlante lui collait aux cuisses et elle se tordit de plaisir lorsqu'il effleura les pétales de son intimité.

— Ça te plaît, n'est-ce pas, *milaya moya* ? murmura-t-il.

Lorsqu'elle acquiesça fébrilement, il lui souffla à l'oreille :

— Dis-le-moi. Je veux l'entendre.

— Je… J'aime ça, hoqueta-t-elle. Tu le sais.

Il sortit un préservatif de nulle part et quand il l'enfila, Erin eut la satisfaction de voir qu'il était aussi fébrile qu'elle. Puis il glissa en elle, avec une facilité révélatrice de l'excitation qu'elle éprouvait.

Il bougea d'abord doucement, comme si rien ne pressait. Et n'était-ce pas le cas, après tout ? Pour la première fois, Erin avait l'impression qu'il n'y avait plus la moindre tension entre eux, qu'ils pouvaient profiter de ces moments pour ce qu'ils étaient.

Plus sûre d'elle que jamais, elle osa soutenir son regard tandis qu'il la possédait, encore et encore, accélérant imperceptiblement l'allure. Une onde, au creux de son ventre, lui indiqua que l'orgasme n'était pas loin. Elle se mordit la lèvre pour ne pas crier et planta les ongles dans les épaules de Dimitri quand la pièce explosa devant ses yeux. Son compagnon s'arc-bouta contre elle et jouit à son tour, son corps puissant parcouru de violentes saccades.

De longues minutes s'écoulèrent puis, comme à son habitude, Dimitri roula sur le côté. Erin réprima une envie primitive de le retenir en elle et se redressa sur un coude pour l'observer. Les yeux fermés, il paraissait dormir.

— Dimitri ?

— Hmm ?

— J'ai quelque chose à te demander.

Il rouvrit les yeux, le visage froissé par une expression mi-irritée, mi-amusée.

— Maintenant ?

Avec un hochement de tête, elle cala un oreiller sous sa joue pour pouvoir l'étudier plus à son aise.

— C'est à propos de l'époque où tu étais complètement hors de contrôle.

— Oui ?

— Tu ne m'as jamais dit pourquoi tu te conduisais ainsi. La boisson, les nuits blanches, le jeu…

— Doit-il toujours y avoir une raison à tout ?

— Je ne sais pas. A toi de me le dire.

Dimitri garda le silence pendant si longtemps qu'elle crut un instant qu'il n'allait pas répondre. Puis il soupira et déclara :

— C'était une combinaison de facteurs.

— Lesquels ? demanda-t-elle, posant le menton sur son torse.

— J'avais du succès. Et du succès à la chute, il n'y a qu'un pas. Les affaires marchaient au-delà de mes espérances et, soudain, je me suis retrouvé avec du temps libre et trop d'argent. Tout ce que je touchais se transformait en or, les femmes me tombaient dans les bras…

— Oh ! mon pauvre… Ça a dû être difficile.

— Je ne nie pas qu'au début c'était plaisant, concéda Dimitri en souriant. Mais la lassitude vient vite. Tout d'un coup, plus rien ne semblait me satisfaire. J'ai essayé le jeu, puis la vodka, en vain. Rien ne pouvait…

— Rien ne pouvait quoi ? demanda Erin quand il s'interrompit, sourcils froncés.

— Ça n'a pas d'importance.

— C'est important pour moi.

— Je commençais à prendre conscience de certaines choses… Des choses que j'avais pris soin d'étouffer.

— Lesquelles ?

Un immense soupir souleva la poitrine de Dimitri.

— Erin, est-ce vraiment le moment de discuter de tout ça ? Nous venons de faire l'amour, la terre a tremblé sous nos pieds, et voilà que tu me fais subir un interrogatoire en règle. Je ne veux pas tout gâcher.

— Comment le fait de parler peut-il gâcher quoi que ce soit ? Ce n'est pas de la curiosité mal placée de ma part, si c'est ce que tu crois. C'est juste que… je veux en savoir davantage sur l'hérédité de mon fils, sur l'histoire de sa famille. Je veux pouvoir répondre aux questions qu'il ne manquera pas de me poser un jour.

— Ce n'est pas le genre de choses dont on a envie de parler avec un enfant.

— Moi, je suis une adulte. Tu peux me parler.

Dimitri se perdit dans les yeux verts de la jeune

femme — ils n'avaient jamais tant ressemblé à ceux d'un chat. Ses cheveux tombaient sur ses seins fermes et son corps lui cria d'ignorer ses questions et de se repaître d'elle. Mais ses paroles avaient fait mouche. Elle avait raison : elle était la mère de son fils et, à ce titre, méritait la vérité.

D'un geste de la main, il désigna la chambre immense où ils se trouvaient.

— Comme tu peux le constater, j'ai grandi dans un environnement privilégié. Mon père était un homme d'affaires prospère, ma mère une femme au foyer aimante. En tout cas c'était ce que je croyais, jusqu'à ce que tout s'effondre.

Pour une fois, Erin garda le silence. Il sentait qu'elle s'était raidie.

— J'ai découvert que ma vie était un mirage. Un tas de mensonges, un tour de passe-passe où tout n'était qu'illusion. Mon père n'était pas l'homme d'affaires respectable que j'imaginais. C'était un mafieux. L'essentiel de sa fortune venait de la drogue, du jeu, et de l'exploitation de la misère humaine en général.

Dimitri vit Erin écarquiller les yeux mais il se força à poursuivre son récit, comme s'il commençait à prendre conscience des vertus cathartiques d'une telle confession. Le culte du secret, n'était-ce pas exactement ce qui avait empoisonné son existence ? N'était-il pas temps d'ouvrir en grand les fenêtres, de laisser la lumière pénétrer dans les moindres recoins de son esprit pour en chasser les ombres qui le hantaient ?

— Ma relation avec mon père n'était pas idyllique. C'était un homme froid, et je me demandais souvent si c'était son caractère qui faisait de lui ce qu'il était, ou si c'était moi. Parfois, j'avais l'impression d'être invisible, comme s'il regardait à travers moi et que je n'existais pas. Ou pire, comme s'il me détestait.

Dimitri prit une profonde inspiration, puis ajouta :

— Il m'a fallu du temps pour comprendre pourquoi. Parce qu'il n'était pas mon véritable père. J'étais le fruit d'une liaison passionnée entre ma mère et le jardinier.

Erin enregistra l'information en se mâchonnant la lèvre d'un air songeur. Puis elle demanda :

— Il était comment ? Le jardinier ?

Dimitri hésita — il s'était attendu à être jugé, et la compréhension d'Erin le désorientait.

— C'était un homme très séduisant, dit-il enfin. Grand, musclé, avec des yeux très bleus. Les employées de la propriété l'idolâtraient. Mais surtout, il était très gentil. Je ne savais pas que les hommes pouvaient être gentils. Il passait des heures avec moi mais il ne m'a jamais dit qu'il était mon père. Et malgré notre ressemblance physique, j'étais trop jeune pour soupçonner quoi que ce soit. Voilà, tu sais tout maintenant. Tu es choquée ?

— Pas autant que tu as dû l'être, répondit Erin avec un sourire doux. Mais il y a une chose que je ne comprends pas : si ton père « légal » savait que tu n'étais pas son fils, pourquoi est-il resté avec ta mère ? Pourquoi n'a-t-il pas demandé le divorce ?

— Et perdu la face ? fit Dimitri avec un rire creux. Non, ce n'était pas sa façon de faire. La punition de ma mère a été de rester prisonnière de ce mariage sans amour, avec un homme qu'elle craignait et qui la méprisait. Et je crois qu'elle ne m'aimait pas davantage. Elle ne m'a jamais manifesté la moindre affection. Je suppose que je représentais l'échec de sa vie sentimentale.

— Et le jardinier ? Ton vrai père ? Qu'est-il devenu ?

Il y eut un silence, puis Dimitri haussa les épaules.

— Un matin, il a quitté la propriété sans rien dire. C'était l'hiver, j'ai cherché ma mère et je l'ai trouvée dans la forêt, dans la petite cabane où il gardait ses outils. Elle était recroquevillée sur le sol et pleurait toutes les larmes de son corps.

— Tu as réussi à le retrouver, à l'âge adulte ?

— Non, répondit Dimitri, le regard plus lointain que jamais. Mais j'ai essayé. Après la mort de ma mère, j'ai fait des recherches. J'ai découvert qu'il avait été exécuté quelques années plus tôt.

— *Exécuté* ? répéta la jeune femme, horrifiée.

— Tué d'une balle dans la tête dans une ruelle de Moscou. C'était l'œuvre d'un professionnel, pas un accident.

— Et tu crois que… que ton père était derrière tout ça ?

— Je ne parie plus depuis longtemps, murmura Dimitri.

Mais ses yeux hantés étaient la plus éloquente des réponses. Erin lui prit la main et la serra — elle comprenait enfin pourquoi il avait cherché l'oubli dans l'alcool. C'était le genre de passé qui justifiait à lui seul l'existence de la psychanalyse : une mère qui rejetait ses fautes sur son fils, un père qui ne se reconnaissait pas en lui, le tout agrémenté d'une bonne dose de mensonge, d'hypocrisie et, pire encore, de meurtre. Pour couronner le tout, Dimitri n'avait pas eu la moindre chance de vraiment connaître son père biologique. Comment s'étonner de sa dérive psychologique, des années plus tard ?

Elle posa la tête sur son épaule, une boule dans la gorge. Elle aurait voulu le serrer fort et lui murmurer que tout irait bien. Elle aurait voulu faire pleuvoir des baisers sur son visage et ses lèvres, lui promettre qu'elle serait toujours là et qu'il n'avait rien à craindre. Mais son instinct l'en dissuada. Dimitri n'aimait pas les manifestations d'émotion. Et elle non plus, à bien y songer. D'où venait donc ce désir viscéral de le réconforter, de prendre soin de lui ?

Erin tenta de se convaincre qu'il s'agissait d'une réaction bien compréhensible à l'histoire qu'il venait de lui raconter. Mais elle sentait confusément qu'il s'agissait d'autre chose, une chose d'autant plus effrayante qu'elle avait passé des années à en nier l'existence.

Bouleversée, elle déglutit avec peine et lui tourna le dos.

Car l'émotion qui gonflait son cœur ressemblait dangereusement à de l'amour.

11.

Et maintenant ?

Depuis l'autre extrémité du salon, Dimitri étudia Leo et Erin. Assis par terre, tous deux disputaient une partie de P'yanitsa, le jeu de cartes traditionnel. Leo en avait appris les règles en quelques heures à peine et, à la fierté de son père, se débrouillait à présent aussi bien que n'importe quel petit Russe.

Mais qu'allait-il faire de ce fils tombé du ciel et de cette femme qui parlait trop ?

Erin sourit lorsque Leo abattit une main gagnante et qu'il exécuta une danse de victoire comique. A la voir ainsi, il était difficile d'imaginer qu'ils avaient fait l'amour passionnément quelques heures plus tôt à peine.

Tant de choses s'étaient passées qu'il n'avait pas vues venir, ces dernières semaines… Erin avait adouci sa vision du monde, apaisé son cynisme. Elle ne l'avait pas fait à coup de sermons moralisateurs mais par l'exemple. Grâce à elle, il avait appris une leçon importante : ce n'était pas parce que son enfance l'avait rendu pessimiste qu'il devait à son tour imposer son pessimisme aux autres.

Il s'en voulait à présent de la façon dont il avait traité la jeune femme. Il s'en voulait d'avoir tenté de séduire son fils par sa richesse, son avion, son hélicoptère et ses demeures partout dans le monde. Oui, il y avait songé et il en avait honte. Il avait espéré que, après avoir goûté à cette nouvelle existence, Leo se rebellerait contre celle qu'il menait en Angleterre. Erin, ainsi, n'aurait d'autre choix que de se soumettre. Mais cette stratégie n'était plus à l'ordre du jour.

Le front barré d'une ride songeuse, il se tourna vers la fenêtre. Le ciel gris était lourd de neige et de rares flocons tombaient paresseusement. Mais il savait par expérience qu'il ne neigerait pas ce soir, et que Leo n'aurait pas son bonhomme de neige. Ils repartaient pour l'Angleterre le lendemain — les vacances scolaires touchaient à leur fin. Dimitri se répéta qu'il devait prendre une décision.

Il attendit que Leo soit au lit et, après lui avoir fait un câlin, descendit attendre Erin dans la bibliothèque pendant qu'elle lisait une histoire à leur fils. Il empila des bûches dans la cheminée et alluma un feu qui prit presque aussitôt et fit danser des reflets orangés sur les rayonnages. Un disque de Tchaïkovski en fond, il sortit deux flûtes en cristal d'un placard et mit une bouteille de champagne dans un seau à glace.

Erin apparut quelques minutes plus tard. Elle s'était changée, ses cheveux dénoués encadraient son visage d'un rideau soyeux. Une robe de laine épousait sa taille mince et il sentit une bouffée de désir naître en lui.

— Du champagne ? fit-elle en levant un sourcil surpris. Nous fêtons quelque chose ?

— Je ne sais pas. Pas encore, en tout cas.

— C'est quoi ? Une devinette ?

Dimitri sourit.

— Si tu veux.

— D'accord. Nous fêtons… un séjour réussi ?

— Nous pourrions, oui. C'est vrai que ce voyage a été un succès.

Il souleva la bouteille et la laissa en suspens quelques instants avant d'ajouter :

— C'est pourquoi je pense que nous devrions nous marier.

Erin le dévisagea, abasourdie.

— Tu as bien dit « nous marier » ?

— Pourquoi pas ?

Le bouchon émit un *pop* sonore lorsqu'il le retira. Observant Erin du coin de l'œil, il remplit leurs flûtes.

— Alors ? Qu'est-ce que tu en dis ?

Ce qu'elle en disait ? Erin déglutit — elle ignorait totalement comment répondre. Elle ne s'était pas attendue à une telle question, et un tremblement la parcourut. Elle prit la coupe qu'il lui tendait, redoutant presque d'en briser le pied tant elle était nerveuse.

— Je ne crois pas que ce soit une très bonne idée, articula-t-elle enfin.

Sa réaction ne parut pas désarçonner Dimitri.

— Ah ? Pourquoi ?

— C'est à moi de te demander pourquoi tu veux m'épouser !

— Tu ne le sais pas ?

— Si je le savais, je ne te poserais pas la question.

— A cause de Leo, bien sûr.

Bien sûr.

Erin acquiesça, mortifiée. Au fond, elle avait prévu cette réponse. Mais elle ne put s'empêcher de ressentir un pincement de déception. Elle l'ignora et s'efforça d'arborer le même détachement que Dimitri.

— Et comment ça marcherait, ce mariage ?

— Ce n'est pas évident ?

— Pas vraiment. Ce n'est pas tous les jours que je reçois d'un homme qui me détestait il y a à peine trois semaines une demande en mariage. Il va falloir que tu m'expliques comment tu vois les choses.

Une ombre passa sur le visage de Dimitri, qui baissa le volume de la musique avant de répondre :

— Tu as dû t'apercevoir que j'étais très attaché à Leo.

— Oui. J'en suis ravie.

— Et comme je te l'ai dit, je pense que tu es une mère exemplaire.

— Merci. Mais ce ne sont pas des raisons pour se marier, Dimitri.

— Non. Il y a cependant d'autres facteurs à prendre en considération. Tu ne peux pas nier que tu as du mal à joindre les deux bouts. Ma fortune te délivrerait de tes problèmes financiers.

Erin s'efforça de sourire, mais ne parvint qu'à tordre les lèvres en un rictus amer.

— Là encore, tu n'as pas besoin de m'épouser. Il te suffit de me verser une pension.

Le second mouvement du concerto se termina. Le feu émit une petite série d'explosions dans le silence qui précédait l'allégro.

— Bon sang, Erin Turner, marmonna Dimitri sans desserrer les dents. Je dois vraiment t'expliquer ?

— Oui, répondit-elle sans ciller, j'aimerais bien.

— Ce n'est pas qu'une question d'argent. Je veux être là pour lui. Tous les jours, pas seulement les week-ends ou pendant les vacances. Je veux le bon et le moins bon — les matins grognons autant que le jour de Noël. Je veux m'occuper de lui, le voir grandir, l'éduquer. Bref, lui offrir ce que je n'ai jamais eu.

Cette déclaration enflammée fit naître une lueur d'espoir dans le cœur d'Erin, qu'elle étouffa aussitôt.

— Et tu es prêt à m'épouser pour ça ?

— Oui. Parce que j'ai compris que tu étais la femme idéale pour moi.

Cette fois, elle ne put réprimer la bouffée de joie

qui explosa en elle. Les jambes en guimauve, elle prit appui d'une main sur un meuble et bredouilla :

— Vraiment ?

— Oui. Tu n'essaies pas de me manipuler, tu te moques complètement de mon statut et de ma fortune. Et tu me rends fou au lit, ce qui ne gâche rien.

— Et c'est tout ?

— Non, ce n'est pas tout. Tu as une autre qualité merveilleuse : tu ne m'aimes pas. Tu ne crois pas en l'amour, et moi non plus. Tu vois ? Nous sommes faits l'un pour l'autre.

Erin sentit son sang refluer de son visage.

Cette demande en mariage était une mascarade qui laissait entrevoir un avenir sordide — une vraie tragédie en devenir qui n'avait rien à envier à son propre passé.

— Et tu crois que c'est l'exemple que je veux donner à mon fils ? demanda-t-elle, la voix brisée par une émotion qu'elle ne pouvait plus contenir. Deux personnes fières de ne pas ressentir une émotion qui contribue à la marche de l'humanité depuis l'aube des temps ?

— Je n'ai jamais dit que j'en étais fier.

— Je me fiche de ce que tu as dit ! répliqua Erin, dont la logique s'effilochait à mesure que sa colère enflait.

— Et moi, je ne comprends pas tes objections, riposta Dimitri. Tu étais prête à épouser Chico, non ? Et lui n'avait que de l'argent à t'offrir, contrairement à moi…

L'allusion sensuelle ne fit qu'attiser la fureur d'Erin.

— Tu me dégoûtes. Tu crois peut-être que ça va me faire changer d'avis ? Je n'ai pas envie d'épouser un homme qui a un bloc de glace à la place du cœur. Avec ou sans argent, Leo et moi nous débrouillons très bien. Je quitterai Londres et je nous trouverai un coin de campagne où la vie n'est pas chère.

— Mais réfléchis : tout serait infiniment plus facile avec moi.

— Tu te trompes. Parce que je viens de découvrir une faille fondamentale dans mon propre raisonnement.

— Je ne comprends pas.

— C'est normal. Je commence à peine à comprendre moi-même... Je pensais que je ne croyais pas en l'amour. Mais l'ironie, c'est que je suis tombée amoureuse de toi. Oh ! ce n'était pas intentionnel. Une femme serait folle de te choisir, Dimitri. Mais on dit bien que le cœur a des raisons que la raison ignore... Tu comprends donc que je ne peux pas t'épouser. Ce serait injuste envers toi, et envers Leo.

— Mais nous sommes bien, ensemble.

— Oui. Jusqu'à ce que l'usure s'installe. L'amour ne dure pas. Tous les livres disent que la majorité des couples se brisent quand l'attrait de la nouveauté s'estompe.

— Et l'amour que tes parents se portent ? Il ne s'est pas estompé, lui.

Erin se figea — pourquoi défendait-il un concept auquel il ne croyait pas lui-même ? Etait-ce parce qu'il ne supportait pas de perdre ? Elle baissa les yeux vers sa flûte, où son champagne s'éventait doucement.

— Mes parents sont l'exception qui confirme la règle. Et puis, mon père n'est pas un oligarque. Les femmes ne se jettent pas dans ses bras à chaque instant. Arrête de protester, Dimitri. Ce mariage, tu n'y crois pas vraiment toi-même. Après quelques mois, tu auras envie d'aller voir ailleurs, je ne le supporterai pas et je me transformerai en harpie. Je suis juste réaliste. Ce n'est pas parce que je suis tombée amoureuse de toi que je ne réfléchis plus. Je te rends service, Dimitri.

Et rassure-toi : je n'ai pas l'intention de limiter tes contacts avec Leo. Au contraire, je ferai tout ce qui est en mon pouvoir pour que vous passiez le plus de temps possible ensemble. Mais je ne t'épouserai pas, c'est clair ?

12.

Malgré la semaine qui s'était écoulée depuis leur retour de Russie, Dimitri ne décolérait pas. Il se concentra sur le genévrier posé sur son bureau, un bonzaï créé par un maître japonais. Il avait eu bien du mal à convaincre l'homme de le lui vendre, et n'y était parvenu qu'après lui avoir juré que le petit arbre recevrait l'attention et les soins qu'il méritait.

En général, ce bonzaï lui procurait un sentiment de paix. L'arbre était le symbole d'une nature contrôlée par l'homme, et cela lui convenait. C'était une métaphore de son existence, où rien n'était laissé au hasard.

En tout cas jusqu'à aujourd'hui. Car il venait d'apprendre à ses dépens qu'il ne contrôlait pas tout. Avec un soupir, il s'adossa à sa chaise et songea à Erin. Elle n'avait pas voulu se faire prier en refusant sa demande en mariage. Elle était sincère, et n'avait pas fléchi durant le vol qui les ramenait en Angleterre, ni dans les jours qui avaient suivi. Pour la première fois de son existence, Dimitri s'était heurté à un esprit qu'il ne pouvait pas modeler à sa guise, ni par la force ni par le charme.

Il s'était donc efforcé de se convaincre qu'Erin avait raison. Puisqu'il pourrait voir son fils quand il voudrait, pourquoi se compliquer la vie ? Il était donc revenu de Russie déterminé à trouver son plaisir ailleurs. Il avait parcouru les nombreuses invitations qui l'attendaient sur son bureau mais son esprit le ramenait invariablement à deux yeux verts ensorceleurs, et au visage délicat d'une femme qui ne souriait que lorsqu'elle en avait envie, et pas pour lui faire plaisir.

Il avait attendu une semaine dans l'espoir qu'elle changerait d'avis, en vain. Ses journées s'étiraient, interminables, et ses nuits étaient pires encore. Il n'avait jamais dormi aussi mal depuis qu'il avait arrêté l'alcool. Le samedi matin, sur un coup de tête, il prit sa voiture et alla se poster juste devant le café où elle travaillait. Garé sous un tilleul, il patienta, s'attendant à voir Erin jaillir de l'établissement pour lui demander ce qu'il faisait là.

Mais personne ne vint. Il ne voyait que sa sœur, reconnaissable à ses grosses lunettes, qui s'affairait derrière le comptoir. Il crut croiser son regard de chouette à plusieurs reprises mais elle ne lui fit pas signe d'entrer.

A la fin, n'y tenant plus, il quitta son véhicule et entra dans le petit établissement. Il était fréquenté par quelques familles et un couple aux vêtements froissés qui semblait avoir passé la nuit à faire la fête. Dimitri ignora les regards curieux braqués sur lui et se dirigea vers la femme qui s'affairait derrière le comptoir.

— Bonjour. Vous êtes Tara, n'est-ce pas ? Je suis…

— Je sais qui vous êtes, coupa la jeune femme sans aménité. Désolée, mais Leo est à son entraînement de football.

— Ce n'est pas Leo que je suis venu voir. C'est Erin.

Tara se figea, puis baissa la voix comme si elle voulait éviter un scandale.

— Erin ne veut pas vous voir.

— Je ne partirai pas sans lui avoir parlé. Je prendrai un café serré, s'il vous plaît. Je vais l'attendre là-bas.

Tara ouvrit la bouche, la referma et disparut derrière

un rideau. Dimitri alla prendre place à une petite table libre près de la devanture. Une blonde, assise seule à une table voisine, lui sourit mais il l'ignora. Il n'avait pas envie de sourire — ou en tout cas, pas à elle.

Sentant une ombre près de lui, il leva les yeux sur Erin, vêtue d'un jean et d'un tablier qui soulignaient sa taille fine. Le cœur de Dimitri bondit dans sa poitrine — elle était toujours aussi ravissante. Mais son visage était pâle et ses beaux yeux verts cernés.

— Si tu veux bien arrêter de dévisager cette fille un moment et me dire ce que tu fais ici, je t'en serais reconnaissante.

— Tu ne m'as pas apporté mon café.

— Et je ne le ferai pas, répondit-elle, tirant une chaise pour s'asseoir face à lui.

Puis elle baissa la voix, comme sa sœur quelques instants plus tôt.

— Ecoute, je t'ai dit que tu pouvais venir voir Leo quand tu voulais et j'étais sincère. Mais j'apprécierais au moins que tu me préviennes. Tu ne peux pas débarquer comme ça sans crier gare.

— Pourquoi ?

— Tu sais pourquoi. C'est trop… éprouvant. Nous devons d'abord apprendre à devenir amis. Ou en tout cas, à faire preuve de courtoisie l'un envers l'autre.

— Nous *sommes* amis, Erin. Nous sommes même bien davantage. Je n'ai jamais été aussi proche de quelqu'un.

— Tais-toi, Dimitri…

— Il y a autre chose. Une chose que je ne t'ai jamais dite, à propos du soir où tu es venue m'annoncer que tu étais enceinte.

— Tu veux dire le soir où je t'ai trouvé avec la blonde et les films érotiques ?

— Et où tu m'as dit mes quatre vérités. Personne n'avait jamais osé me parler comme tu l'as fait.

— Je ne vois pas le rapport avec notre situation.

— Tu ignores ce que j'ai fait après ton départ. D'abord, j'ai essayé de me convaincre que j'étais ravi de ta démission, parce que tu n'avais pas le droit de me juger. Mais je ne pouvais pas m'empêcher de penser à ce que tu m'avais dit. Et à force d'y penser, j'ai fini par reconnaître que tu avais raison. J'ai tout abandonné du jour au lendemain : le jeu, la boisson, les femmes. Tu as été le catalyseur qui a changé ma vie. J'ai une dette envers toi, Erin.

— Merci beaucoup. Mais je ne vois toujours pas ce qui t'amène.

— Ce n'est pas étonnant, car je viens tout juste de le comprendre moi-même.

— Comprendre quoi ?

— Que tu as eu une profonde influence sur moi. Que je t'aime, et que je ne veux pas passer ma vie sans toi.

Erin ne répondit pas tout de suite, se contentant de hocher lentement la tête.

— Ecoute-moi, dit-elle enfin, je n'ai pas l'intention de changer d'avis et de t'épouser. Inutile d'inventer des bobards.

— Ce ne sont pas des bobards, répondit Dimitri. Je t'aime. Tu dois me croire.

Et il plaça sa main sur la sienne. Erin la retira, cramoisie.

— Arrête. Tout le monde nous regarde.

— Je m'en fiche.

De nouveau, il lui prit la main. Cette fois, elle ne put se libérer. Elle nota pour la première fois à quel point ses doigts étaient froids, sa posture figée.

— Dis-moi qu'il n'est pas trop tard. Dis-moi que tu m'aimes encore, comme ce soir-là, en Russie. Dis-moi que tu m'épouseras et que tu passeras le reste de ta vie avec moi.

Erin aurait juré que tout le monde dans le café était au courant de ce qui se passait. Et ceux qui ne l'étaient pas encore en prirent conscience quand Dimitri tira un écrin de sa poche, et en sortit le plus gros solitaire qu'elle eût jamais vu. Elle entendit même Tara hoqueter de stupeur derrière son comptoir.

— J'ai fait monter le plus beau diamant jamais trouvé dans mes mines. S'il ne te plaît pas, si tu préfères une antiquité, ce n'est pas un problème. Mais en attendant, tu ferais de moi le plus heureux des hommes en l'acceptant.

Erin lut de l'hésitation dans son regard, et ce fut ce qui balaya ses derniers doutes. Dimitri, incertain ? Qui l'aurait cru ? C'était aussi improbable qu'une demande en mariage dans un petit café de l'East End. Et pourtant, tout était bien réel. Dimitri était un homme complexe, c'était un fait, doué dans certains domaines, moins dans d'autres — exprimer ses émotions, par exemple. Mais elle comprenait à présent pourquoi. Et une chose était sûre : ils avaient besoin de l'amour l'un de l'autre.

— Oh ! Dimitri… Oui. Oui, j'accepte de devenir ta femme.

Il bondit sur ses pieds avec un grand éclat de rire, contourna la table et se pencha pour l'embrasser passionnément. Tout le monde dans le café applaudit, à l'exception de la blonde. Dans l'excitation, le solitaire tomba par terre, et ce ne fut qu'un peu plus tard ce matin-là que Leo et ses amis le retrouvèrent coincé sous une plinthe. Les enfants furent récompensés par des glaces et la promesse d'assister à un match de Chelsea. Erin entendit Leo dire à son meilleur ami : « C'est mon père. »

Elle cligna les yeux, abasourdie, car ni elle ni Dimitri

ne lui avaient révélé la vérité. Ce fut alors qu'elle prit conscience de ce qui lui arrivait. Elle n'eut que le temps de se réfugier dans l'arrière-boutique, où elle laissa couler ses larmes de bonheur.

Epilogue

Leo finit par obtenir son bonhomme de neige et, à son grand ravissement, comprit qu'avoir une mère anglaise et un père russe lui permettait de fêter Noël deux fois. Ils passèrent le premier en Angleterre, juste après leur mariage, avec les parents d'Erin que Dimitri avait fait venir d'Australie. Chico avait été invité lui aussi mais il avait décidé de rentrer au Brésil pour annoncer à sa famille qu'il était gay et ne voulait plus vivre dans le mensonge.

Le Noël russe était quant à lui célébré le 7 janvier. Après une journée de jeûne, l'apparition des premières étoiles signalait le début des festivités. Un plat traditionnel, le *kutia*, était servi dans un bol commun pour célébrer l'unité. Autrefois, Leo aurait fait la grimace face à ce porridge garni de fruits et de noix, mais il s'y attaqua avec un enthousiasme qui émerveilla sa mère.

Erin s'étira sur le sofa qui faisait face à l'immense cheminée dans leur datcha, et laissa échapper un soupir d'aise. Dimitri lisait une histoire à leur fils pour l'endormir. Le lendemain, ils emmèneraient Anatoly et Leo faire une promenade en traîneau, à l'issue de laquelle leur fils ne manquerait pas de se lancer dans la construction d'un énième bonhomme de neige.

— Quel soupir ! commenta Dimitri depuis le seuil de la pièce.

Elle lui sourit — son mari était plus séduisant que jamais vêtu d'un simple jean et d'un pull de cachemire. Il prit place près d'elle et ouvrit un bras pour lui permettre de se blottir contre lui.

— C'est un soupir de bonheur.

— Me voilà rassuré…

— Je pensais à la chance que j'ai de t'avoir rencontré, d'avoir eu ton enfant…

Dimitri se tourna vers elle, soudain grave. Du bout des doigts, il écarta une mèche qui lui tombait dans les yeux.

— Et les années que nous avons perdues ? demanda-t-il.

— J'y ai bien réfléchi. Je ne les vois plus comme du temps perdu mais comme une période d'apprentissage. Nous avons grandi, nous avons mûri, et c'est toujours douloureux. Sauf si tu es un bonzaï, ajouta-t-elle, et qu'on t'empêche de grandir.

Dimitri sourit, puis hocha la tête.

— Qu'est-ce que tu aimerais faire ce soir ?

— Tu n'as qu'à me surprendre.

Avec une douceur infinie, son mari déposa un baiser sur ses lèvres.

— D'accord… Je vais te servir une flûte de champagne et te dire à quel point je t'aime, avant de te coller une raclée au P'yanitsa. Et après ça…

— Oui ? demanda-t-elle, le souffle court, pendant qu'il effleurait ses seins du bout des doigts. Après ça ?

— Réflexion faite, reprit Dimitri d'une voix rauque, laissons tomber le P'yanitsa…

Retrouvez en novembre,
dans votre collection

Choisie par le cheikh, de Kate Walker - N°3765

SÉRIE : MARIAGE ARRANGÉ

Depuis l'enfance, Aziza est amoureuse de Nabil. Pourtant, elle le sait, celui qui est désormais devenu le cheikh du Rhastaan lui est strictement interdit, car c'est Jamalia, sa propre sœur, qui lui est promise. Mais, à la plus grande surprise d'Aziza, elle apprend un jour que les noces n'auront jamais lieu. Et que c'est elle que Nabil a choisie pour femme. Pourquoi un tel choix ? Ce n'est pas par amour, en tout cas : Nabil sait à peine qui elle est et semble bien plus méfiant qu'épris, au point qu'il refuse de partager sa couche. La seule certitude d'Aziza est que la passion qui brûle en son cœur ne pourra jamais être éteinte, peu importe l'attitude glaciale du cheikh envers elle…

Une brûlante étreinte, de Jennifer Hayward - N°3766

Diana enrage. Que lui a-t-il pris d'accepter de se rendre au mariage de son amie Annabelle ? Elle savait pourtant que Coburn, son futur ex-mari, s'y trouverait aussi, et que la simple vue de cet homme qui lui a brisé le cœur lui serait insupportable. D'autant que Coburn semble s'amuser de la situation, joue avec elle comme un lion avec sa proie, la provoque… et finit par l'attirer dans son lit. Diana comprend alors que c'est peut-être ce qu'elle est venue chercher ici, ce soir : la terrible confirmation de l'emprise absolue qu'il exerce, aujourd'hui encore, sur ses sens. Car Coburn la connaît trop bien pour ne pas lire en elle et profiter de la situation…

Le piège de ton regard, de Maisey Yates - N°3767

En cédant à son désir pour Charity Wyatt, Rocco Amari en était conscient : il était en train de commettre la pire des erreurs. S'il lui avait ordonné de le suivre dans sa suite, c'était pour l'humilier et se venger d'elle, qui l'avait volé. Pas pour se laisser séduire ! Mais il est trop tard à présent pour effacer les heures délicieuses qu'ils ont passées ensemble… et l'enfant dont Charity prétend qu'il est le père. La rage envahit Rocco à cette pensée, et sa haine envers Charity et ses basses intrigues ne fait que se décupler. Mais, qu'il le veuille ou non, il devra assumer sa paternité et se comporter en homme d'honneur envers son bébé, comme envers la trop troublante Charity.

Une irrésistible attirance, de Jennifer Rae - N°3768

SÉRIE : UNE NUIT AU BOUT DU MONDE

Huit ans. Huit ans qu'Amy n'avait pas revu Luke, le frère de sa meilleure amie. Celui qui l'avait fait rêver pendant tout un été, alors qu'ils travaillaient ensemble sur une petite île perdue au large des côtes australiennes... Un été de rire et de fêtes, dont le souvenir émeut encore Amy. Mais cette nostalgie n'est rien comparée au choc que lui inflige le retour de Luke. Il est plus viril, plus imposant encore que par le passé et, malgré elle, Amy s'en trouve totalement bouleversée. Hors de question pourtant de céder au désir qu'il lui inspire : pour rien au monde elle ne mettrait son amitié avec Willa en danger. Mais Luke est venu seul à Sydney, et Amy sent bien qu'il aurait besoin d'un peu de distraction...

Une insurmontable obsession, d'Anne McAllister - N°3769

Holly aura-t-elle la force de résister à Lukas Antonides ? Rien n'est moins sûr. Car, contrairement à ce qu'elle espérait, le temps n'a en rien altéré l'alchimie qui a toujours opéré entre elle et l'arrogant homme d'affaires. Et voilà que, douze ans après la nuit exceptionnelle qu'ils ont partagée, Lukas est de retour dans sa vie, visiblement déterminé à ne pas laisser passer sa chance avec elle, cette fois... Seulement Holly, qui a perdu son mari quelques années plus tôt, est enfin sur le point de quitter New York pour tout recommencer à zéro. Alors peu importe ce qui lui en coûtera, elle ne laissera pas cet irréductible séducteur la détourner si facilement de ce nouveau départ qui s'offre à elle...

Le prix de l'amour, de Sharon Kendrick - N°3770

Paulo Dantes, son ami d'enfance, s'est montré clair : il lui offrira sa protection et prendra soin d'elle pendant sa grossesse... uniquement si elle accepte d'être sa maîtresse après la naissance de l'enfant. Isabella est outrée. Comment l'homme qu'elle aime en secret depuis toujours peut-il lui faire une telle proposition ? Et dire que ce dont elle rêvait était d'obtenir le respect de Paulo et de gagner son cœur ! Elle voudrait tant refuser cette proposition offensante mais, enceinte et seule, a-t-elle vraiment le choix ?

Une princesse si désirable, d'Annie West - N°3771

Tariq n'arrive toujours pas à y croire : Samira, la princesse de Jazeer, avec laquelle il est ami depuis l'enfance, vient-elle vraiment de lui proposer de l'épouser ? Certes, il doit en convenir, ses arguments sont tout à fait honorables : elle veut unir plus étroitement leurs deux pays et combler d'amour les adorables jumeaux de Tariq, privés de leur maman... C'est un simple mariage de convenance qu'elle lui demande. Mais n'est-ce pas justement le problème ? Car, d'aussi loin qu'il s'en souvienne, Tariq a toujours été troublé par la beauté de Samira. Et un mariage de façade ne pourra en aucun cas apaiser ses appétits sensuels...

L'aventure d'une nuit, de Susan Stephens - N°3772

SÉRIE : TENTATION BRÉSILIENNE - 4E VOLET

Depuis des années, Karina fuit toute rencontre en tête à tête avec Dante Baracca. Depuis le soir de ses dix-huit ans, très exactement, et la nuit magique qu'ils ont passée ensemble... Mais désormais elle ne peut plus l'éviter : c'est chez lui, dans sa fazenda isolée au cœur du Brésil, qu'elle est chargée d'organiser le championnat de polo qui va marquer un tournant décisif dans sa carrière. Et, en tant que professionnelle de l'événementiel, Karina a bien l'intention de fournir un travail impeccable. Même si, avec sa sensualité troublante, Dante semble bien déterminé à la détourner de sa mission...

Le souffle de la passion, de Melanie Milburne - N°3773

SÉRIE : LE SECRET DES HARRINGTON - 8E VOLET

Isabelle est exaspérée. Décidément, les Harrington sont tous les mêmes : riches, arrogants et imbus d'eux-mêmes. Mais Spencer, son nouveau patron, n'en demeure pas moins le spécimen le plus exécrable de sa lignée. Et elle ne dit pas cela parce qu'il l'a anéantie, dix ans plus tôt, en mettant fin à leur brûlante aventure. Non, cette histoire est bel et bien oubliée, et elle a au contraire d'excellentes raisons de tout haïr chez ce séducteur impénitent. De les détester, lui, son corps parfait, son ironie mordante... et l'alchimie irrésistible qui existe toujours entre eux, malgré les années...

La femme trahie, de Penny Jordan - N°3774

SÉRIE : VENGEANCE ET SÉDUCTION - 3E VOLET

Venue commander, auprès des cristalleries de Prague, les objets précieux qui devaient achalander sa boutique d'arts de la table, Beth pensait avoir conclu une affaire particulièrement intéressante auprès d'une petite entreprise. Elle avait pourtant dû batailler avec son interprète, Alex, un jeune Anglais d'origine tchèque, pour qu'il la laisse traiter avec cette société peu connue. Beth s'était obstinée... et s'en mord maintenant les doigts. Car, lorsque sa commande arrive en Angleterre, la jeune femme découvre qu'il ne s'agit pas de la marchandise achetée à prix d'or à Prague, mais de verroterie. Catastrophée, elle hésite maintenant sur la conduite à tenir. Alex acceptera-t-il de l'aider, malgré le mauvais souvenir qu'il a peut-être gardé d'elle ? Rien n'est moins sûr...

Composé et édité par HarperCollins France.

Achevé d'imprimer en septembre 2016.

Barcelone

Dépôt légal : octobre 2016.

Pour limiter l'empreinte environnementale de ses livres, HarperCollins France s'engage à n'utiliser que du papier fabriqué à partir de bois provenant de forêts gérées durablement et de manière responsable.

Imprimé en Espagne.